COCINA
orgánica

Nuria Penalva

LIBSA

© 2015, Editorial LIBSA
C/ San Rafael, 4
28108 Alcobendas (Madrid)
Tel.: 91 657 25 80
Fax: 91 657 25 83
e-mail:libsa@libsa.es
www.libsa.es

COLABORACIÓN EN TEXTOS: Nuria Penalva
y equipo editorial Libsa
EDICIÓN: equipo editorial Libsa
DISEÑO DE CUBIERTA: equipo de diseño Libsa
MAQUETACIÓN: equipo de maquetación Libsa
IMÁGENES:
Thinkstock, Shutterstock Images,
123 RF y archivo Libsa

ISBN: 978-84-662-3070-4

DL: M 19981-2014

Contenido

Cocina orgánica

En los últimos años las preferencias de los consumidores han cambiado y crece la demanda de los productos orgánicos y no es solo por su calidad...

¿QUÉ ES LA COCINA ORGÁNICA?

Cada vez nos preocupa más nuestra salud y bienestar y somos conscientes de que estos factores tienen mucho que ver con la alimentación, por eso está creciendo la demanda de productos orgánicos capaces de transmitir autenticidad, calidad y seguridad en su producción.

Mediante la cocina orgánica nos acercamos a una alimentación más saludable y respetuosa con el medio ambiente empleando para ello productos 100% naturales. Estos productos orgánicos también llamados ecológicos o bio, reciben esta denominación por haber sido producidos conforme a unas técnicas de producción orgánica definidas. Básicamente se

Una posibilidad muy económica para conseguir productos orgánicos es cultivarlos uno mismo. En un jardín o en macetas se pueden cultivar algunas verduras y hortalizas, pero para que sean ecológicas, recuerda que no debemos emplear pesticidas ni fertilizantes sintéticos.

Si empleamos las técnicas de cocción más saludables como son cocinar al vapor, a la plancha, asar al horno o tomar los alimentos crudos, conseguiremos multiplicar el valor de nuestra cocina orgánica.

trata de prescindir del uso de sustancias químicas de síntesis como pesticidas, fertilizantes y otras sustancias que intervienen y modifican el crecimiento natural del producto animal o vegetal y que además tienen un efecto negativo en el medio ambiente. En este libro se han propuesto una serie de recetas agrupadas por su alimento principal. En cada grupo se especifican sus características nutricionales y se exponen los factores por los que el alimento se considera orgánico. Además, las recetas se acompañan de trucos, sugerencias y recomendaciones culinarias para disfrutar al 100% de la frescura y autenticidad de cada plato.

La elaboración de alimentos ecológicos se realiza de forma más cuidadosa y en muchos casos artesanal, con sustancias o aditivos naturales que ayudan a conservan las calidades originales (pan, vino, embutidos, mermeladas).

Aunque la demanda de alimentos orgánicos está creciendo, aún no es fácil encontrar establecimientos dedicados a este tipo de productos o suficiente oferta en las grandes superficies. Sin embargo Internet abre el abanico de posibilidades pudiendo contactar con tiendas on-line, grupos de consumo, cooperativas o productores directos de alimentos ecológicos.

PROS Y CONTRAS DE LOS PRODUCTOS ECOLÓGICOS

Ventajas

- NO PRESENTAN RESTOS DE QUÍMICOS Y PESTICIDAS, puesto que al no emplearlos en el cultivo ni en la cría no los acumulan.
- PRESENTAN UNA MAYOR CALIDAD NUTRICIONAL y sensorial. Los vegetales tienen un contenido mayor de materia seca, vitaminas, minerales, y saben mejor, pues se cosechan cuando ha alcanzado su madurez.
- SON RESPETUOSOS CON EL MEDIOAMBIENTE preservando el suelo y el agua, ya que no se produce una contaminación debida al uso de fertilizantes y plaguicidas de síntesis. Y los residuos animales se reciclan como abono.
- SE PERSIGUE EL BIENESTAR ANIMAL, por lo que no sufre estrés ni hacinamiento, de modo que crece más saludable y no necesita la medicación continua con antibióticos. Esto redunda positivamente en la calidad de la carne.
- AHORRO DE ENERGÍA Y DE AGUA. Forzar a la naturaleza a producir algo fuera de su ciclo natural supone más gasto de energía de la necesaria.
- AUMENTAN LA BIODIVERSIDAD, pues la agricultura y ganadería orgánica impulsa la conservación de especies locales y resistentes a plagas y enfermedades.
- SON MÁS SOSTENIBLES ECONÓMICAMENTE. Fomentan la actividad del pequeño agricultor y ganadero y generan empleo local. Además no requieren grandes y costosos traslados.

Inconvenientes

- LA APARIENCIA y forma de frutas y vegetales no suele ser perfecta, pues se apuesta por las variedades originales en detrimento de las que han sufrido selección por su aspecto y brillos perfectos por el cultivo intensivo.
- SUELEN SER PRODUCTOS MÁS CAROS, ya que necesitan más mano de obra.
- LA PRODUCCIÓN ES MENOR, puesto que es mucho más lenta.
- SU CONSERVACIÓN ES MÁS CORTA, aunque diversos estudios difieren en este aspecto, ya que las hortalizas ecológicas tienen mayor proporción de materia seca; es decir, poseen menos agua, que es el elemento que favorece la putrefacción de los alimentos.

El medioambiente se ve claramente beneficiado con la producción ecológica. Se evita la contaminación del agua, se preserva la riqueza del suelo y la biodiversidad de ecosistemas, además se ahorra energía y se ayuda a mitigar el cambio climático pues la emisión de CO_2 es menor.

Los alimentos orgánicos deben pasar por una serie de controles oficiales que certifiquen y garanticen la autenticidad de ese producto ecológico. De modo que el alimento en cuestión debe presentar el sello correspondiente al país o estado donde se produzca.

Hortalizas y verduras

La agricultura ecológica es una forma de producir alimentos respetando su ciclo natural. El resultado: verduras y hortalizas más saludables y frescas.

HORTALIZAS ORGÁNICAS

Las verduras y hortalizas son un alimento imprescindible en nuestra dieta. Nos aportan vitaminas y minerales, además de fibra y agua. La ingesta diaria recomendada es de cinco raciones al día o de 600 g diarios. La razón es que estos alimentos mejoran nuestra salud y su consumo está relacionado con la prevención de la mayoría de enfermedades degenerativas. Son alimentos depurativos y nos ayudan a limpiar el organismo de toxinas. Sin embargo, la agricultura convencional, al emplear fertilizantes, pesticidas y herbicidas hace que las hortalizas terminen por poseer también productos tóxicos (en principio en cantidades no dañinas).

Las verduras y hortalizas orgánicas o ecológicas garantizan la ausencia de estos productos de síntesis química que dañan nuestra salud y el medio ambiente.

> **El aspecto de las variedades ecológicas no suele ser muy atractivo, pero a cambio si que tienen más propiedades antioxidantes y mayor concentración de nutrientes.**

Cuando se trata de hortalizas ecológicas no conviene pelar las raíces como las de zanahorias, nabos o rábanos, pues en su piel es donde hay más cantidad de nutrientes. Hay que lavarlas usando un cepillo para vegetales.

Y es que para que tengan la consideración de orgánicos o ecológicos, **estos alimentos deben, entre otras premisas, haber sido cultivados sin la utilización de plaguicidas y fertilizantes sintéticos.** Además se han desarrollado según su ciclo natural, por lo que es posible disponer de una variedad estacional de hortalizas y verduras que nos ayudará a equilibrar nuestro organismo según el clima. Así, las hortalizas de verano como el tomate o el pepino nos refrescarán e hidratarán, y las de invierno (coles, remolacha, calabaza, boniato) nos aportarán más energía y reforzarán las defensas. Al comer hortalizas de temporada tendremos más garantías de su frescura y de que poseen una mayor concentración de nutrientes.

Lo ideal es recolectar las verduras y hortalizas en su punto óptimo de madurez, aunque no siempre es lo que más conviene. Por ejemplo, desde el punto de vista gastronómico, los tomates para ensalada se recogen un poco verdes.

ALMACENAJE Y MANIPULACIÓN

Al tratarse de productos frescos lo ideal es consumirlos tan pronto como sea posible para disfrutar de todas sus propiedades tanto nutritivas como organolépticas. Pero, a no ser que tengamos nuestro propio huerto, comprar cada día las verduras y hortalizas no resulta muy práctico. Las podemos almacenar en un sitio que no sobrepase los 15 ºC y esté seco, o bien en el frigorífico, en el cajón destinado a estos productos, que suele ser la zona menos fría del electrodoméstico. Las verduras y hortalizas se conservan bien en bolsas de plástico perforadas y algunas, como las judías verdes, coles, guisantes o espinacas, admiten el congelado con un escaldado previo. No conviene lavarlas cuando se van a almacenar, el agua puede pudrirlas; es mejor hacerlo justo antes de cocinarlas.

Desde su recolección, las hortalizas empiezan a perder propiedades. Si no las consumimos en el momento, debemos conservarlas en un sitio fresco y seco, como la parte más templada de la nevera.

Las espinacas se recolectan a primera hora de la mañana, ya que el calor las pone lacias. Solo se cortan las hojas externas para que la planta vuelva a producir más hojas. Se remojan, se escurren y están listas para el consumo.

Para no perder nutrientes no conviene dejar las verduras y hortalizas en remojo. Lo adecuado es lavarlas bien y, a continuación, escurrirlas cuidadosamente. Se pican una vez lavadas y no al revés, para que no se diluyan los nutrientes en el agua. Y al cortar, mejor hacerlo con un cuchillo de acero inoxidable. Las hojas (acelgas, espinacas, lechuga) y partes más tiernas pueden cortarse con las manos. Una vez partidas no debe pasar mucho tiempo hasta su consumo.

Al cocinarlas, lo más indicado es partirlas en trozos grandes y conservando la piel. Hay que utilizar la menos agua y el menor tiempo posible. Una verdura al dente conservará una mayor parte de vitaminas y demás nutrientes.

Si podemos cultivar nuestro huerto ecológico los beneficios se multiplican: tendremos verduras y hortalizas al instante, frescas, saludables, según nuestros gustos o el de nuestra familia y con el consiguiente ahorro económico.

Fibra, vitamina A, ácido fólico y grasas cardiosaludables son los principales nutrientes que aporta esta ensalada verde y fresca con su beneficioso aliño. Y al consumir la lechuga y el puerro crudos no hay pérdidas y sí ¡muchos beneficios!

Ensalada verde con lechuga, puerro, semillas de sésamo y eneldo fresco

PARA 4 PERSONAS
TIEMPO: 10 MINUTOS
DIFICULTAD: BAJA

- 6 cogollos de lechuga
- 2 puerros
- Eneldo fresco
- 1 y ½ cucharaditas de sésamo blanco
- 1 y ½ cucharaditas de sésamo negro

PARA EL ALIÑO
- 4 cucharadas de aceite de oliva virgen
- ½ limón
- Sal
- Cilantro fresco

ELABORACIÓN. Lavamos los cogollos, los escurrimos bien y los troceamos. Los colocamos en una ensaladera grande. Cortamos las raíces de los puerros y desechamos también la parte más verde de las hojas, de forma que nos quedamos con la porción blanca, que resulta más tierna para consumir cruda. Los lavamos bien bajo el chorro de agua fría para quitar todo rastro de tierra y los partimos en rodajas muy finas que incorporamos a la ensaladera. A continuación, troceamos las ramitas de eneldo fresco y las agregamos a la ensalada. Espolvoreamos los dos tipos de semillas de sésamo y mezclamos la ensalada. Servimos con el aliño aparte.

PARA EL ALIÑO, ponemos en un bol el aceite, el jugo de medio limón, sal al gusto y tres o cuatro hojas de cilantro muy picaditas. Removemos y servimos.

✓ PUERRO ORGÁNICO

De otoño a primavera podemos disfrutar de sabrosos puerros. Se cultivan a temperaturas suaves (alrededor de 13-20 ºC), aunque son bastante resistentes al frío. Se plantan en los últimos meses de verano y se recolectan en otoño e invierno. En la estación más fría el puerro está más engrosado y su sabor es más fuerte.

Esta refrescante ensalada se logra con los pepinos plantados tras la última helada, acompañada de jugosos cherrys recién madurados al sol, cebolla roja antioxidante y olivas maceradas al tomillo.

Ensalada de pepinos tempranos con olivas, cebolla roja y tomatitos

PARA 3 PERSONAS
TIEMPO: 15 MINUTOS
DIFICULTAD: BAJA

- 500 g de tomatitos cherry
- 300 g de pepinos
- Una cebolla roja pequeña
- 20 g de aceitunas verdes
- 20 g de aceitunas negras

PARA EL ALIÑO

- 6 cucharadas de aceite
- Una cucharada de vinagre de manzana
- Un diente de ajo
- Tomillo y flor de sal

ELABORACIÓN. Lavamos los tomatitos, los cortamos por la mitad y los ponemos en una ensaladera. A continuación, lavamos bien los pepinos, los cortamos enteros en rodajas, desechamos los extremos y a su vez, partimos las rodajas por la mitad. Añadimos el pepino a la ensaladera y pelamos y troceamos la cebolla, que incorporamos a la ensalada junto con las aceitunas. Mezclamos bien todos los ingredientes.

PARA EL ALIÑO, mezclamos en un cuenco el aceite, una cucharada de vinagre de manzana, el diente de ajo machacado y un par de pellizcos de tomillo. Revolvemos bien y bañamos la ensalada con el aderezo. Al servir, sazonamos con la flor de sal al gusto.

✓ TRUCO
Esta ensalada admite numerosas variantes de aliño. Por ejemplo, una salsa pesto con aceite de oliva, albahaca, piñones y parmesano que nos sumergirá por completo en el Mediterráneo.

✓ EN LA COSECHA...
Los tomatitos y pepinos son amantes del sol, por lo que al cultivarlos, si los ubicamos en la zona de solana, tendremos cosechas simultáneas de estas hortalizas durante todo el verano.

✓ EN LA RECOLECCIÓN...
Los pepinos deben recolectarse de forma temprana, apenas estén maduros, pues si se dejan envejecer en la mata, sus semillas se endurecen y no puede comerse entero y, además, en cuanto el pepino empieza a amarillear la planta deja de producir.

Los vegetales blancos son ricos en ácido clorogénico, potasio, selenio y compuestos del azufre que actúan como potentes antioxidantes. Esta crema ayuda a reforzar las defensas, combatir las infecciones en general y regular la presión arterial.

Crema de verdura blanca

PARA 4 PERSONAS
TIEMPO: 1 HORA
DIFICULTAD: BAJA

- 2 cebollas
- Aceite de oliva virgen
- Un puerro
- 2 calabacines
- 3 nabos medianos
- ½ coliflor
- Sal
- ½ pimiento rojo
- ½ cucharadita de pimienta roja en grano

ELABORACIÓN. Pelamos las cebollas, las cortamos y las salteamos unos minutos en una cazuela con tres cucharadas de aceite. Lavamos el puerro y nos quedamos con la parte blanca, lo picamos y lo añadimos a la cazuela. Lavamos el calabacín, lo pelamos, pero reservamos la piel. Lavamos los nabos, la coliflor, troceamos las verduras y las añadimos a la cazuela. Echamos un poco de sal y las salteamos cinco minutos. Añadimos un litro de agua y dejamos que cueza a fuego lento durante unos 40 minutos.

Mientras se cuecen las verduras, partimos en tiras el pimiento rojo y la piel del calabacín y los salteamos en una sartén con una cucharada de aceite. Lo retiramos del fuego y reservamos. Una vez cocidas las verduras, las trituramos con la batidora con la pimienta roja y añadimos agua si es necesario hasta obtener la textura deseada. Servimos la crema adornada con tiras de pimiento rojo y de calabacín.

✓ TRUCO

La pimienta roja es muy aromática y condimenta sutilmente las cremas de verdura suaves. Puede añadirse recién molida a la hora de servir o bien añadir unos seis granos mientras trituramos las verduras.

✓ VERDURAS BLANCAS

Los nabos, puerros y coliflor son verduras que tienen su mejor momento en los meses más frescos del otoño. Para esta crema se han utilizado además los últimos calabacines que entran a principios del otoño y las cebollas recolectadas en el verano. Con ello conseguimos una combinación de sabores de distintas temporadas muy del gusto de los paladares veganos o vegetarianos.

Las espinacas tienen un gran cantidad de betacarotenos que son esenciales para cuidar nuestra vista. Sus hojas, de un verde intenso, son ricas además en ácido fólico, vitamina K, hierro y fibra.

Crema de espinacas frescas

PARA 4 PERSONAS
TIEMPO: 20 MINUTOS
DIFICULTAD: BAJA

- ½ kg de espinacas
- 50 g de mantequilla
- 3 cucharadas de harina
- 60 g de queso azul
- 1 l de leche
- Sal

ELABORACIÓN. Ponemos un litro de agua a cocer y cuando rompa a hervir, añadimos las espinacas lavadas. Las cocemos durante cinco minutos. Las sacamos, escurrimos y en una cazuela calentamos la mantequilla, añadimos las espinacas, la harina y rehogamos un par de minutos. Ponemos el queso (reservando un poco para adornar) y a continuación la leche. Echamos sal al gusto. Dejamos que hierva tres minutos y pasamos las espinacas por la batidora hasta obtener una textura cremosa. Podemos servir con unas hojitas de espinacas frescas y trocitos de queso azul.

✓ CONSEJO

Esta receta apetece tanto fría como caliente. Además, las espinacas van bien con cualquier tipo de queso, por lo que si los de tipo azul no son de nuestro gusto, podemos cambiar por queso de cabra, o alguna crema de queso fresco ecológica.

✓ ESPINACAS SIEMPRE FRESCAS

Las espinacas no aman el calor, por lo que será difícil encontrarlas en verano. Pero entre el otoño y la primavera su calidad y frescura están garantizadas. Si las hemos cultivado nosotros mismos, conviene recolectarlas a una hora temprana y en pequeños manojos para que no se pongan lacias. Podremos conservarlas en una bolsa perforada en el frigorífico y resistirán dos semanas. También admiten la congelación. Para ello, debemos escaldarlas un par de minutos en agua con sal y cuando comience a hervir, añadimos las hojas de espinaca lavadas. Contamos dos minutos a partir del hervor, las escurrimos, dejamos enfriar y hacemos paquetes para el congelador.

Las verduras crudas aportan frescura, aromas intensos y vitaminas al completo. Además, sus texturas crujientes son toda una experiencia para el paladar. Como los ingredientes de esta ensalada, que invitan a una masticación más lenta para captar todos sus matices.

Ensalada crujiente de col blanca, manzana, remolacha y sésamo

ELABORACIÓN. Lavamos bien las hojas de la col, las escurrimos y las cortamos en tiras finas. Lavamos también las manzanas sin pelar y las troceamos en tiras algo más gruesas. La remolacha podemos utilizarla cruda o bien cocida. La pelamos y la cortamos en tiras muy finas o la rallamos si está cruda.

Mezclamos todos los ingredientes en una ensaladera y rociamos con el zumo de limón para que no se oxide la manzana. Espolvoreamos con las semillas de sésamo y reservamos.

PARA 4 PERSONAS
TIEMPO: 20 MINUTOS
DIFICULTAD: BAJA

- 500 g de col blanca o repollo
- 2 manzanas rojas
- Una remolacha pequeña
- ½ limón
- 3 cucharaditas de sésamo

PARA LA VINAGRETA
- 100 ml de aceite de oliva
- 2 cucharadas de vinagre
- Una cucharada de mostaza
- Sal

PARA LA VINAGRETA, mezclamos en un bol pequeño el aceite, el vinagre, la mostaza y un pellizco de sal. Aliñamos y sacamos a la mesa con unas hojitas de perejil (opcional).

✓ SABER ELEGIR
Para dar con una buena col debemos comprobar que las hojas externas estén abiertas y sean distintas a las que conforman la bola del repollo que debe ser compacta, dura y pesada. Si se hunde a la presión de un dedo, no está fresca.

✓ SABORES DE INVIERNO
Esta ensalada puede tomarse como entrante o como acompañamiento ideal para los platos contundentes de carne. Es una ensalada de invierno, la mejor época de coles y repollos.

Patatas al horno con cúrcuma, sal, semillas de sésamo y romero

La patata es un alimento muy versátil en la cocina que solo engorda si se fríe. Pero si optamos por asarlas o cocerlas, las patatas nos sacian colmándonos de vitaminas A, del grupo B, C y minerales como el potasio fósforo y calcio.

PARA 4 PERSONAS
TIEMPO: 35 MINUTOS
DIFICULTAD: BAJA

- 1 kg de patatas pequeñas
- 3 cucharadas de aceite de oliva virgen
- Una cucharadita de sésamo
- Una cucharada de romero
- Una cucharadita de cúrcuma
- Flor de sal

ELABORACIÓN. Lavamos las patatas con un cepillito y bajo el chorro de agua. Las ponemos en una olla rápida con dos dedos de agua y las cocemos unos 10 minutos desde que sale la presión. Las sacamos y reservamos. En una fuente ponemos tres cucharadas de aceite y las semillas de sésamo, el romero y la cúrcuma. Mezclamos y añadimos las patatas removiendo para que se unten con las especias. Espolvoreamos con flor de sal y metemos la fuente en el horno precalentado a 180 °C. Gratinamos de 5-10 minutos volteando las patatas de vez en cuando. Cuando la piel esté ligeramente tostada, sacamos y servimos.

✓ CONSERVACIÓN
Las patatas nunca se guardan en la nevera, pues se estropean rápido. Es mejor en un cesto de mimbre para que estén aireadas y reservarlas en un sitio fresco, seco y oscuro. En buenas condiciones, aguantan 20 días.

✓ MANIPULACIÓN
Las patatas que llevan mucho tiempo almacenadas y están expuestas a la luz pueden empezar a germinar y generar solanina, un alcaloide que resulta tóxico y puede provocar trastornos digestivos. Si vemos manchas verdes en su superficie o empieza a emitir brotes, hay que limpiarlas y descartar la zona de alrededor.

Crema de pepinos frescos, pimienta negra y eneldo en rama

El verano nos trae una hortaliza repleta de agua, vitaminas y minerales para compensar sus mayores inconvenientes: el calor y la deshidratación. Y es que el pepino resulta el ingrediente más refrescante de las ensaladas y sopas estivales.

PARA 4 PERSONAS
TIEMPO: 15 MINUTOS
DIFICULTAD: BAJA

- 5 pepinos
- Un aguacate maduro
- Un yogur griego sin azúcar
- ½ limón
- 2 cucharadas de aceite de oliva virgen
- Salsa de tabasco
- Sal
- 1 l de caldo de ave o de verduras
- Pimienta negra en polvo
- Ramitas de eneldo fresco

ELABORACIÓN. Pelamos y cortamos los pepinos en dados, salvo una mitad que cortaremos en rodajas para adornar los platos, los batimos con un robot de cocina o batidora. Añadimos la carne del aguacate, el yogur griego y el zumo de limón y volvemos a batir. Incorporamos el aceite, un par de gotas de salsa de tabasco, una pizca de sal y batimos mientras vamos añadiendo el caldo. Emplearemos el caldo que necesitemos para dar a la crema la densidad que deseemos. Pasamos la crema a un bol y refrigeramos en la nevera 30 minutos o una hora antes de servir. Espolvoreamos con pimienta y adornamos los platos con rodajas de pepino y ramitas de eneldo fresco.

✓ TRUCO

La crema de pepino puede tomarse tanto fría como caliente, aunque bien fría es la mejor manera de apreciar todo su sabor y beneficiarse de sus propiedades refrescantes e hidratantes. De modo que si no tenemos tiempo para esperar a que se refrigere en la nevera, podemos sustituir parte del caldo por unos cubitos de hielo o ser previsores y hacer cubitos de hielo de caldo.

✓ CONSERVACIÓN

El pepino puede aguantar hasta una semana si lo mantenemos en la nevera, pero si pasa más tiempo empezará a deshidratarse y reblandecerse. Con variedades más pequeñas se pueden hacer encurtidos de pepinillos que soportan mucho más tiempo.

Una ensalada ligera y nutritiva con la versión más dulce de hummus. Este puré de remolacha puede tomarse como guarnición, para untar o, como en esta receta, conviertiéndose en el ingrediente estrella de ensaladas veraniegas.

Ensalada de brotes con hummus de remolacha, mostaza y miel

PARA 4 PERSONAS
TIEMPO: 1 HORA Y 15 MINUTOS
DIFICULTAD: BAJA

- 125 g de garbanzos
- Una cucharada de aceite de oliva
- ½ cebolla
- 200 g de remolacha cocida
- Una cucharada de tahini
- Un diente de ajo
- ½ limón
- Sal
- ½ cucharadita de comino en polvo
- 250 g de brotes de lechuga (espinaca, rúcula, canónigos, hoja de roble)

PARA LA SALSA
- 2 cucharadas de mostaza
- Una cucharada de miel
- ½ cucharada de vinagre de Módena
- 4 cucharadas de aceite

ELABORACIÓN. La noche anterior habremos puesto los garbanzos en remojo con agua fría y una cucharada de sal. Pasadas 12 horas, escurrimos los garbanzos y los ponemos en una cacerola junto con la cebolla pelada y troceada, los cubrimos de agua y ponemos a cocer durante aproximadamente una hora, hasta que los garbanzos queden tiernos (se puede hacer en menos tiempo con una olla exprés). Echamos un poco de sal al final de la cocción. Reservamos medio vasito del caldo de cocción, escurrimos el contenido de la cacerola y dejamos que se enfríe.

A continuación pelamos las remolachas cocidas, las cortamos en trozos y las trituramos junto con los garbanzos, la pasta de tahini, el ajo, el jugo de limón, el aceite, un pellizco de sal y el comino. Luego vamos añadiendo poco a poco el caldo hasta conseguir un puré con cierto espesor.

Finalmente, lavamos los brotes de lechugas y los escurrimos muy bien. Colocamos un lecho de brotes sobre los platos, después añadimos varias cucharadas de hummus y salseamos.

✓ PARA LA SALSA
Mezclamos la mostaza, la miel y el vinagre batiendo a mano o con una batidora a la velocidad más lenta. Añadimos el aceite poco a poco sin parar de batir hasta que esté ligada la salsa.

Ensalada fresca de espinacas, rúcula y lechuga morada

Las verduras de hoja suelen ser exquisitas para tomar crudas y su gran variedad ofrece múltiples posibilidades a la hora de elaborar ensaladas. Una base de brotes tiernos ricos en fibra, vitamina C, K y potasio es el primer paso para cuidar nuestra salud.

PARA 3 PERSONAS
TIEMPO: 15 MINUTOS
DIFICULTAD: BAJA

- 50 g de espinacas
- 50 g de red chard
- 50 g de batavia roja
- 50 g de rúcula
- 50 lechuga trocadero roja
- 30 ml de vinagreta

ELABORACIÓN. Lavamos todas las verduras bajo el chorro de agua y las escurrimos bien con una centrifugadora de verduras. Al tratarse de brotes, las hojas son pequeñas y no es necesario cortarlas. Esa es la idea de esta ensalada, ya que al estar la hoja entera no hay pérdida alguna de nutrientes. Ponemos todos los brotes en una fuente y mezclamos. Se pueden acompañar de una sencilla vinagreta o bien los brotes pueden servir de base para una ensalada integrada por proteínas o carbohidratos. Los brotes tiernos admiten todo tipo de alimento, desde un queso de cabra con nueces hasta unas anchoas con tomatitos pasando por foie y frutos rojos.

✓ SABÍAS QUE…
Existen muchas variedades de lechugas, pero también podemos emplear los brotes tiernos de otras verduras que usamos para otros platos como son las acelgas, las hojas de remolacha o las espinacas. De hecho, la red chard es una variedad de remolacha de la cual se aprovechan sus hojas tiernas de tallos rojos.

✓ PARA LA VINAGRETA
Mezclamos 10 ml de vinagre de manzana con 30 ml de aceite de oliva virgen. Picamos unas hojitas de cilantro fresco y las añadimos a la vinagreta con un pellizco de sal. Removemos y aderezamos la ensalada.

Una deliciosa crema que apetece tanto fría como caliente, según se levanten los caprichosos días primaverales. De cualquiera de las maneras, con los espárragos nos beneficiaremos de sus efectos diuréticos y depurativos.

Crema de espárragos blancos y trigueros con escamas de parmesano

PARA 4 PERSONAS
TIEMPO: 35 MINUTOS
DIFICULTAD: BAJA

- 200 g de espárragos blancos
- 200 g de espárragos trigueros
- Una cebolleta pequeña
- Un puerro
- Aceite de oliva
- Una patata
- Sal
- 150 g de queso parmesano

ELABORACIÓN. Lavamos los espárragos y pelamos los blancos respetando las puntas y eliminamos la parte más dura de la base de ambos espárragos. Reservamos 4 puntas verdes y 4 puntas blancas para adornar. Pelamos la cebolleta y limpiamos el puerro, los troceamos y los pochamos a fuego lento en una sartén honda con un par de cucharadas de aceite. Pelamos la patata y la cortamos en dados, troceamos los espárragos y añadimos todo a la sartén. Sazonamos un poco y damos la vuelta a las verduras mientras se cocinan un par de minutos. Añadimos medio vaso de agua y dejamos que cueza. Los espárragos soltarán agua, pero añadiremos más si vemos que hace falta. Dejamos cocer unos 20 minutos o hasta que la patata se deshaga. Sacamos del fuego y trituramos. Probamos, corregimos la sazón y servimos los platos adornados con las puntas salteadas y escamas de queso parmesano.

✓ TEMPORADA DE ESPÁRRAGOS
La época de recolección de los turiones, como se denomina a los tallos carnosos que conocemos como espárragos, se realiza en primavera y se consumen tanto frescos como en conserva.

✓ SABÍAS QUE...
La diferencia entre el espárrago blanco y el verde o triguero es que al primero no le ha dado la luz del sol y por tanto no ha producido clorofila. Por eso, los blancos se cubren con tierra hasta el momento en el que se cortan.

Carnes y pescados

Las proteínas de origen animal tienen un alto valor biológico, y si además proceden de carne ecológica sus enteros aumentan porque son más saludables y respetuosas con el medioambiente.

GANADERÍA Y PESCA ECOLÓGICA

Para el correcto desarrollo del organismo necesitamos proteínas, ya que estas nos facilitan los aminoácidos esenciales. Las carnes y pescados y otros derivados animales son los principales proveedores, aunque no los únicos, y también son una buena fuente de hierro y vitamina B12. Sin embargo, los actuales métodos de cría intensiva requieren someter a los animales a tratamientos con antibióticos, hormonas y antioxidantes que se acumulan, alteran el sabor de la carne y pueden pasar a nuestro organismo.

La cría ecológica de animales está destinada a mejorar tanto el bienestar animal como la situación medioambiental y la prevención de

La cría ecológica de animales emplea especies adaptadas a las características geográficas y climatológicas de la localidad. Esto se traduce en animales más resistentes y mayor productividad.

Las normas ecológicas prohíben las prácticas dolorosas como atar o aislar al animal o someterle a mutilaciones, como la práctica de cortar el pico a pollos y gallinas o la cola a los conejos.

enfermedades. Y es que se tienen en cuenta tanto las necesidades físicas del animal como las específicas de cada especie.

En cuanto al pescado ecológico, la pesca de arrastre está descartada. Las capturas son selectivas y se utilizan técnicas tradicionales que tengan un menor impacto medioambiental. Hay algunas especies como el salmón, trucha, lubina, dorada y esturión, que pueden ser criadas mediante acuicultura ecológica con requisitos estrictos: piensos sin residuos o elaborados bajo parámetros de sostenibilidad; menor densidad de peces y aguas de alta pureza. Estos centros de acuicultura actúan como granjas de peces responsables con los recursos.

Los consumidores se preocupan cada vez más por su alimentación y por el medio ambiente, lo que implica pensar en el bienestar de los animales que les proporcionan carne, huevos y productos lácteos.

CARNES MÁS SANAS Y SABROSAS

Los alimentos orgánicos o ecológicos de origen animal presentan una mayor cantidad de proteínas respecto a su peso, ya que el porcentaje de agua en la carne ecológica es mucho menor que en las carnes procedentes de la ganadería intensiva. Estas últimas se detectan enseguida porque al freírlas su tamaño puede disminuir en más de un tercio. La carne ecológica es más compacta y presenta mejor aspecto. Además, la cantidad de grasa también es menor, ya que el animal dispone de espacio suficiente para moverse y quemar grasas, y la calidad de éstas mejora.

Unos animales que son criados en instalaciones más espaciosas e higiénicas donde la densidad de los individuos es baja, están más sanos y no

La proporción de grasas saturadas de la carne ecológica es menor frente a la de las carnes industriales. Esto se debe a que siguen una alimentación de pastos de calidad.

Los animales criados en granjas ecológicas no suelen enfermar y por tanto, no se tratan con antibióticos ni aditivos sintéticos. El resultado se traduce en carnes con más sabor, más nutritivas y libres de toxinas.

sufren estrés, por tanto son más resistentes a epidemias y enfermedades.

En el caso de pescados y mariscos, estos están más sujetos a la estacionalidad que la ganadería, pues hay épocas de mayor disponibilidad y productividad. De modo que adquiriendo pescado de temporada nos aseguramos una mayor calidad, prácticas ecológicas y menor precio. Cabe destacar también la diferencia en las características organolépticas entre la carne del pescado salvaje y el criado en un centro acuícola, aunque sea ecológico. El pescado salvaje siempre tendrá mejor textura y más sabor.

En la realización de embutidos se utilizan especias y aditivos naturales, con lo que se recuperan los sabores y colores tradicionales, pero aunque sean ecológicos debe moderarse su consumo, pues son ricos en grasas saturadas.

El cordero es una excelente fuente de proteínas de alta calidad y vitaminas del grupo B, además de hierro, sodio, fósforo y zinc, sobre todo cuando hablamos de corderos de crianza ecológica. Pero ¡ojo! porque su contenido en grasas también es alto.

Cordero con miel, albaricoques y romero

PARA 4 PERSONAS
TIEMPO: 2 HORAS
DIFICULTAD: BAJA

- 2 cebollas
- 2 dientes de ajo
- 4 cucharadas de aceite de oliva virgen
- 1 kg de pierna de cordero en trozos
- Ramilletes de romero fresco
- 200 g de albaricoques o 100 g de orejones
- 4 cucharadas de miel
- 30 g de almendras
- Sal y pimienta

PARA EL ACOMPAÑAMIENTO
- 250 g de cuscús
- Una cucharada de aceite de oliva virgen
- Sal
- Una cucharadita de mantequilla

ELABORACIÓN. Pelamos y picamos las cebollas y los ajos y lo sofreímos todo en una olla con un par de cucharadas de aceite. Cuando el sofrito esté dorado, sacamos la cebolla y el ajo y lo reservamos.

Frotamos los trozos de cordero con un ramillete de romero fresco y los doramos en la olla usada anteriormente con el resto del aceite. Volvemos a echar el sofrito en la olla y bajamos el fuego para que no esté tan fuerte.

Lavamos los albaricoques, los abrimos por la mitad y los deshuesamos o, si no es su temporada, empleamos los orejones. Los ponemos en la olla con el cordero, la miel, las almendras picadas, una ramita de romero y salpimentamos al gusto. Rehogamos un minuto y vertemos medio litro de agua. Dejamos que se cocine a fuego lento durante una hora y media aproximadamente.

✓ PARA EL ACOMPAÑAMIENTO
Para acompañar este plato de reminiscencia marroquí la mejor opción es emplear sémola de cuscús. Para ello llevamos a ebullición 250 ml de agua con aceite y un pellizco de sal. Cuando rompa a hervir, retiramos del fuego y añadimos el cuscús. Removemos y dejamos reposar tres minutos. Añadimos la mantequilla y ponemos a fuego lento un par de minutos mientras removemos con un tenedor. Ya está listo para servir junto al cordero y que cada comensal se ponga la cantidad que desee.

Las carnes rojas contienen proteínas de alta disponibilidad y minerales como hierro, magnesio y calcio. Al ser de crianza ecológica, nuestro organismo asimila todos los nutrientes sin el esfuerzo que supone eliminar las sustancias químicas de las otras carnes.

Ternera con granos de pimienta, ajo, guindilla y cherrys al tomillo fresco

PARA 4 PERSONAS
TIEMPO: 15 MINUTOS
DIFICULTAD: BAJA

- 4 medallones de solomillo de ternera
- Aceite de oliva virgen
- Un diente de ajo
- Granos de pimienta roja y blanca
- Una guindilla pequeña
- Tomillo fresco
- 250 g de tomatitos cherry
- Sal marina

ELABORACIÓN. Ponemos los solomillos en una fuente y los untamos de aceite. Picamos el ajo, trituramos muy ligeramente los granos de pimienta y la guindilla, añadimos el tomillo fresco, e impregnamos la carne con esta mezcla. Dejamos que repose una hora en el frigorífico. Precalentamos el horno a 200 ºC, lavamos los tomatitos y los ponemos en una fuente con un poco de tomillo para hornearlos durante 15 o 20 minutos. Reservamos.

Ponemos la plancha o una sartén untada de aceite a calentar y cuando alcance temperatura, pasamos los solomillos vuelta y vuelta. Servimos la carne acompañada de los tomatitos asados y el tomillo, y espolvoreamos con la sal marina y granos de pimienta.

✓ CONSERVACIÓN

Lo más recomendable es consumir la carne el mismo día que se adquiere. No obstante, puede mantenerse entre 3-4 días en la parte más fría del frigorífico.

✓ CONSEJO

El solomillo es una de las mejores carnes, ya que se digiere muy bien gracias a su bajo contenido en grasas. Es muy recomendable acompañar la carne con alguna guarnición vegetal, pues con ello mejora su perfil nutricional. Y a la hora de cocinarla, echaremos la sal al final, pues como extrae los jugos de la carne, esta se secaría en la sartén.

Sopa de maíz, puerro y cebolla con albóndigas de ternera blanca

Una suculenta sopa que puede pasar por plato único gracias al aporte de proteínas de las albóndigas de carne y los carbohidratos de las hortalizas. Además, la zeaxantina contenida en el maíz es un carotenoide que beneficia la salud ocular.

PARA 4 PERSONAS
TIEMPO: 50 MINUTOS
DIFICULTAD: BAJA

- Un puerro • Una cebolla
- 1 l caldo de pollo • Una mazorca de maíz tierno
- ½ kg de carne de ternera
- 3 huevos • Un diente de ajo
- Perejil, sal y pimienta molida
- Una cucharada de pan rallado
- 2 cucharadas de harina

ELABORACIÓN. Limpiamos el puerro y nos quedamos con la parte blanca, pelamos la cebolla y picamos todo muy fino. En una olla ponemos el caldo a calentar a fuego medio y añadimos las verduras y el maíz.

Mientras se van cociendo las verduras, en un bol, ponemos la carne picada, echamos dos huevos y mezclamos. Luego añadimos el diente de ajo machacado, el perejil picadito, el pan rallado, un poco de pimienta y sal. Lo mezclamos todo bien y hacemos bolitas que pasamos por el huevo batido y rebozamos en la harina.

En una sartén con un chorrito de aceite, freímos las albóndigas para que se doren en su superficie. Las sacamos y las vamos agregando al caldo de verduras. Dejamos que cuezan a fuego lento unos 15 o 20 minutos más.

✓ MOMENTO ÓPTIMO DEL MAÍZ

El maíz dulce que consumimos fresco es de maduración más temprana que otras variedades y se cosecha cuando está inmaduro, unos 20 días después de que aparezcan los primeros pelos del maíz. Esto tiene lugar a mediados de verano y podremos comprobar su momento óptimo si al presionar el grano con la uña este se hunde sin que llegue a reventar. Entonces está en su mejor momento.

Lomo de ternera asada con mostaza y pimienta

Las carnes magras como el lomo alto que se utiliza para el clásico «roast beef» (lomo de ternera asado) proporcionan proteínas de alta calidad y vitaminas del grupo B, y el método de cocción empleado no puede ser más saludable. ¡Grasa, la mínima!

PARA 4 PERSONAS
TIEMPO: 55 MINUTOS
DIFICULTAD: BAJA

- 800 g de lomo de ternera
- Aceite de oliva
- 10 g de granos de pimienta roja
- 30 g de mostaza de Dijon
- Pimienta negra molida
- Sal

ELABORACIÓN. Limpiamos el exterior del lomo de grasa, lo atamos con cordel de cocina para que no pierda su forma cilíndrica. Calentamos un poco de aceite en una sartén amplia y marcamos el lomo para que se dore y se cierre la carne y así evitar que pierda los jugos internos. Lo sacamos y dejamos que se temple. Después, machacamos los granos de pimienta roja, los mezclamos con la mostaza y un poco de pimienta negra y sal y untamos el lomo con la mezcla. Precalentamos el horno a 180 ºC, ponemos el lomo en una fuente refractaria y horneamos unos 45 minutos volteando la pieza a la mitad del tiempo. Una vez asado, dejamos templar el lomo y le quitamos el cordel. Lo cortamos en lonchas delgadas y servimos en una fuente.

✓ TRUCO
El «roast beef» es excelente para tomarlo como fiambre frío en sándwiches y bocadillos, además de ser una base de carne que puede acompañarse de guisos de verduras.

✓ COMO GUARNICIÓN...
Este plato suele acompañarse de una guarnición de cebollitas francesas y puré de patatas. Para ello cocemos un par de patatas peladas y troceadas en agua con sal. Cuando estén cocidas, las pasamos por el pasapurés y les añadimos un chorrito de aceite, otro de leche y sal y mezclamos. Luego, sofreímos 8 cebollitas peladas a fuego lento durante 20 minutos, salpimentamos, echamos un cucharadita de miel y dejamos que se cocinen otros cinco minutos. Servimos con la carne.

La base de los embutidos y fiambres es la carne que nos aporta proteínas y minerales tan necesarios como el hierro, pero su contenido en grasas saturadas debe recordarnos que este plato es mejor disfrutarlo cada mucho tiempo.

Salchichas frescas con chalotas, calabacín, ajos y puerro asados

PARA 4 PERSONAS
TIEMPO: 30 MINUTOS
DIFICULTAD: BAJA

- Un calabacín
- Un puerro
- 10 chalotas
- 8 dientes de ajo
- Sal
- Tomillo
- Aceite de oliva virgen
- 4 chorizos o salchichas frescas

ELABORACIÓN. Lavamos el calabacín y lo partimos en rodajas, cortamos también en rodajas el puerro limpio y lavado. Pelamos las chalotas y las cortamos por la mitad. Luego, sobre una fuente refractaria, ponemos las chalotas ya cortadas, los dientes de ajo enteros y sin pelar y las rodajas de calabacín y de puerro. Sazonamos las verduras con la sal y el tomillo al gusto, echamos un chorrito de aceite por encima y metemos en el horno precalentado a 180 °C.

Horneamos unos 15 minutos, volteamos las verduras y a continuación colocamos los choricitos o salchichas. Le hacemos a cada uno varios cortes transversales y esta vez los ponemos al grill durante cinco minutos. Pasado ese tiempo, les damos la vuelta y gratinamos otros cinco minutos. Sacamos y servimos cada chorizo o salchicha acompañada de su guarnición de verduras completa.

✓ CONSEJO

El chorizo y las salchichas son fiambres que en su elaboración llevan cierto porcentaje de grasa, por lo que engordan bastante. Para no aumentar más el aporte calórico, los mejores métodos para cocinar estos alimentos son, o bien hacerlos a la plancha o a la parrilla, o bien asarlos al horno. En ambos casos no es necesario añadir nada de grasa, pues el propio alimento la proporciona y se cocina con su propio jugo. La guarnición de verduras es mucho más saludable que unas patatas fritas.

La carne de conejo es una de las más magras. Su contenido graso es muy bajo comparado con otras carnes, por lo que juega un papel muy importante en el control de la hipercolesteremia. Además, tiene un sabor muy apreciado.

Conejo asado con limón y tomillo, con guarnición de chalotas y ajos

PARA 4 PERSONAS
TIEMPO: 1 HORA
DIFICULTAD: BAJA

- Un conejo troceado • Sal
- Tomillo • Perejil • Una cebolla
- 30 ml de aceite de oliva virgen
- 50 ml de nata • 50 ml de vino blanco • Un limón • Una cucharada de mostaza
- Pimienta • 10 chalotas
- 6 dientes de ajo

ELABORACIÓN. Sazonamos la carne de conejo con sal, tomillo y perejil y la dejamos reposar unos minutos en el frigorífico. Mientras tanto, picamos la cebolla y la doramos en una sartén con un par de cucharadas de aceite. Cuando esté transparente añadimos la nata, el vino, el zumo de medio limón y la cucharada de mostaza. Salpimentamos al gusto movemos y cocinamos a fuego lento un par de minutos. Apagamos y reservamos. Pelamos las chalotas y las partimos por la mitad.

En una fuente refractaria, echamos un chorrito de aceite, colocamos los trozos de conejo, las chalotas y los dientes de ajo pelados y enteros. Añadimos la salsa y decoramos con un par de rodajas de limón y un poco de perejil. Horneamos en el horno precalentado a 180 °C alrededor de 45 minutos.

✓ CONSEJO

Al tener tan poca grasa, la carne de conejo suele quedar más seca que otras carnes cuando se cocina. Por eso es habitual prepararla en guisos, con salsas, cremas o al ajillo, un plato muy típico. Y también formando parte de menestras de verduras, arroces y calderetas.

✓ CONSERVACIÓN

El conejo es una carne que se presta a los marinados con hierbas, vino, jugos… Además se congela muy bien tanto cruda, pero limpia de vísceras, como cocinada.

El «steak tartar» es un plato legendario atribuido a los guerreros tártaros, cuyas variantes actuales nos permiten apreciar cada uno de sus ingredientes crudos en su conjunto y por separado y beneficiarnos de sus propiedades de forma íntegra.

Tartar de buey con alcaparras, sal rosa, cebolla roja, pepinillos, escarola y pan tostado

PARA 4 PERSONAS
TIEMPO: 10 MINUTOS
DIFICULTAD: BAJA

- 600 g de solomillo de buey
- ½ cebolla roja
- Un diente de ajo
- 6 pepinillos en vinagre
- 30 g de alcaparras
- 4 huevos
- Sal rosa
- 8 rebanadas de pan tostado
- Escarola

PARA EL ALIÑO
- Aceite de oliva virgen • Salsa Worcestershire • Salsa de tabasco • Una cucharadita de mostaza de Dijon • Sal
- Pimienta • Una cucharada de coñac

ELABORACIÓN. Picamos la carne con un cuchillo bien afilado. La dejamos muy picadita, la tapamos y dejamos en la nevera. A continuación, picamos bien fina la cebolla, el ajo y los pepinillos. Por otro lado, en un bol, mezclamos dos cucharadas de aceite, cinco gotas de salsa Worcestershire, un par de gotas de tabasco, la cucharada de mostaza, un pellizco de sal y de pimienta y la cucharada de coñac. Añadimos la carne y mezclamos muy bien para que tome el sabor de la salsa.

A continuación, con un aro de emplatar, repartimos la carne en cuatro platos y acompañamos cada uno de ellos con la cebolla picada, el pepinillo y alcaparras. Luego, ahuecamos un poco la parte de arriba de la carne y colocamos la yema del huevo. Sazonamos por encima con un poco de sal rosa y servimos con pan tostado y un poco de escarola, mezclando todos los ingredientes en el momento de comer.

✓ **CONSUMIR EN SU MOMENTO**
La principal condición de seguridad para elaborar este plato es que sus ingredientes sean fresquísimos, pues como sucede con todos los alimentos crudos, están expuestos a la contaminación por microorganismos. Por eso hay que consumirlo inmediatamente.

El rey de los pescados azules tiene el poder de proteger nuestra salud cardiovascular gracias a sus preciados ácidos grasos omega 3. Es un suculento pescado que queda bien en innumerables preparados culinarios.

Lomos de salmón a la plancha con crema de leche a la pimienta

PARA 4 PERSONAS
TIEMPO: 20 MINUTOS
DIFICULTAD: BAJA

- 150 ml de leche
- 20 g de mantequilla
- Una yema de huevo
- Una cucharadita de harina de maíz
- Sal rosa
- Pimienta negra y pimienta roja molidas
- 4 lomos de salmón

ELABORACIÓN. Hacemos la salsa para el salmón calentando en un cazo la mitad de la leche y la mantequilla. Cuando se derrita, añadimos la yema del huevo y removemos mientras se calienta. Disolvemos la harina en el resto de leche fría y la añadimos al cazo. Seguimos removiendo unos cinco minutos o hasta que espese ligeramente. Añadimos una pizca de sal y un par de pellizcos de las dos pimientas. Mezclamos y apagamos.

A continuación, estiramos los lomos de salmón y los hacemos a la plancha en una sartén antiadherente con un poquito de aceite. Cuando esté dorada la superficie, los sacamos y servimos con la crema a la pimienta sazonados con un poco de sal rosa.

✓ TRUCO
Para que su carne quede jugosa no hay que cocinarlo en exceso, un vuelta y vuelta de uno o tres minutos según el grosor de la pieza, en la plancha bien caliente, o cinco minutos al horno para que sus jugos queden atrapados en el interior de su carne.

✓ DELICIAS CULINARIAS
El salmón también resulta delicioso crudo mediante estas dos preparaciones: ahumado, curado con humo; y marinado con azúcar, sal y eneldo. En cualquiera de los casos debe haber sido congelado previamente para eliminar el anisakis.

Trucha horneada con cítricos, perejil y eneldo

Es uno de los pescados de río más populares. Su carne es muy sabrosa y con menos calorías que otros pescados azules, pero con tantos beneficios como estos últimos. Deportistas e hipertensos no deberían dejar de incluirla en su menú.

PARA 4 PERSONAS
TIEMPO: 20 MINUTOS
DIFICULTAD: BAJA

- 4 truchas
- Sal y pimienta roja
- Eneldo
- Un limón
- 2 dientes de ajo
- Perejil
- Aceite de oliva virgen
- Una lima

ELABORACIÓN. Lavamos las truchas levemente para que no queden muy acuosas y las escurrimos bien. Las sazonamos con sal, un poco de pimienta molida y eneldo en polvo por las dos caras y también por dentro, y las colocamos en una fuente para el horno.

Cortamos en rodajas el limón y metemos dos o tres rodajas en el interior de cada trucha.

Por otro lado, machacamos los ajos con un poco de perejil en un mortero, añadimos un par de cucharadas de aceite, lo mezclamos y vertemos por encima del pescado. Rociamos con el jugo de la lima y horneamos en el horno precalentado a unos 180 ºC durante 15 minutos. Una vez listas, pueden servirse acompañadas de unas patatas asadas o de unas verduras al horno.

✓ ALTERNATIVA CULINARIA
Hay una variante muy sabrosa de las truchas al horno y es rellenarlas con una loncha de jamón y asarlas con un poco de vino blanco. Su sabor se intensifica y quedan mucho más jugosas.

✓ TEMPORADA DE LA TRUCHA
Aunque la mejor época de la trucha son los meses de primavera y verano, y es en esa temporada cuando se pesca la trucha salvaje, la acuicultura ecológica en piscifactoría garantiza el abastecimiento todo el año.

Cereales y semillas

Los cereales son la base de la alimentación humana y como tal, merece la pena que sean de la mejor calidad. Sin pesticidas, ni químicos ni transgénicos, simplemente orgánicos.

PRINCIPALES FUENTES DE ENERGÍA

Los cereales deben aportar entre el 50-60% de nuestra energía diaria. Se trata de un alimento básico que nos proporciona una buena cantidad de hidratos de carbono, también de proteínas, además de ser una excelente fuente de fibra –sobre todo si se trata de su forma integral–, de minerales como el selenio, magnesio y hierro, y vitaminas del grupo B.

Su característica de liberar energía lentamente hace que sea el alimento idóneo para el desayuno, pues tras un largo ayuno nocturno nuestro organismo demandará energía para afrontar la jornada y los cereales y sus derivados como el pan, la pasta, los copos de desayuno, la harina… proporcionan nutrientes de calidad.

> **Todos los cereales son alimentos saciantes que se metabolizan lentamente y van liberando su energía de forma gradual. Por eso casi todas las culturas los incluyen en el desayuno.**

> **Los cereales ecológicos nos llegan directamente del productor libres de herbicidas y fertilizantes, pero con todos sus nutrientes vitales para el organismo: almidón, proteínas, minerales, vitaminas, ácidos grasos no saturados y fibra.**

Pero si queremos beneficiarnos aún más, es mejor optar por las versiones integrales de los cereales y sus derivados. Es precisamente en el salvado donde se concentran la mayoría de las vitaminas, proteínas y minerales.

Dada la relevancia de ese alimento en nuestra alimentación es importante tener en cuenta su origen y producción. El cereal orgánico o ecológico está alejado de las producciones agrarias masivas y por tanto libre de pesticidas y sustancias sintéticas. Al ser cultivado con prácticas de fertilización y de gestión del suelo más bondadosas con el medio ambiente, su calidad y nivel nutricional se ven incrementados.

> **Los cereales ecológicos son la mejor opción para la alimentación infantil, ya que nos aseguramos de que no tengan ningún residuo nocivo que pueda afectar en esta etapa tan sensible y además ayudan a reforzar el sistema inmune.**

DIVERSIDAD Y SOSTENIBILIDAD

La agricultura ecológica recupera también especies y variedades de semillas y cereales más antiguas o tradicionales como el trigo sarraceno (alforfón), la quinua, la espelta, la cebada, etc., que contribuyen a incrementar las opciones gastronómicas, pues las preparaciones, texturas y sabores de estas semillas y cereales difieren bastante de las de los cereales convencionales. Además, poseen otro espectro nutricional que ayuda a complementar y variar nuestra dieta. Por ejemplo, los cereales convencionales como el trigo y el maíz suelen ser deficitarios en un aminoácido esencial, la lisina, sustancia que se encuentra en abundancia en el alforfón y en la espelta. Por otro lado, la quinua, otra semilla que se asemeja a un cereal, también posee lisina además de ser rica en ácidos grasos insaturados.

Con miles de años de antigüedad, la subespecie del trigo llamada espelta tiene más cantidad de proteínas, minerales y vitaminas que el trigo común y más riqueza de ácido silícico.

En general, las técnicas de cultivo ecológico de cereales evitan la contaminación del subsuelo y de las capas de aguas freáticas, siendo la opción más sostenible para no agotar el suelo de cultivo.

Además, en su cultivo emplea técnicas y métodos que no contaminan el medio ambiente, por ejemplo utilizando abono orgánico, realizando un control mecánico de malas hierbas, aplicando rotación de cultivos, sobre todo con leguminosas que fertilizan el suelo con su capacidad de fijar el nitrógeno atmosférico y recurriendo al barbecho para que el suelo se regenere.

Es cierto que la producción de cereales ecológicos puede ser menor pero, por otro lado, se favorece el cultivo de especies que resultan más resistentes al clima y a las enfermedades, por lo que a la larga resulta más beneficioso pues se minimizan los costes por daños.

Los cereales ecológicos conservan mejor la fertilidad de la tierra y al mismo tiempo, ofrecen a los consumidores un producto mucho más saludable y lleno de sabor. Todo son ventajas para este pequeño gran alimento.

Un plato energético y saciante repleto de calcio, magnesio y vitaminas como la K, presente en la harina integral de trigo y la E de las almendras. Un cóctel de nutrientes esenciales para estilos de vida muy activos y saludables.

Penne con pesto de almendras y hojas de albahaca fresca

PARA 4 PERSONAS
TIEMPO: 20 MINUTOS
DIFICULTAD: BAJA

- Sal • Una hoja de laurel
- 500 g de penne integral
- Un ramillete de albahaca
- 100 ml de aceite de oliva virgen • Un tomate maduro
- Un diente de ajo • 40 g de almendras fileteadas • 30 g de queso parmesano rallado
- Pimienta

ELABORACIÓN. En una olla ponemos a cocer abundante agua con sal y una hoja de laurel. Cuando rompa a hervir echamos la pasta y removemos de vez en cuando para que no se pegue. Cuando esté al dente la colamos y reservamos un poco del agua.

Para hacer el pesto colocamos en una batidora cuatro o cinco hojas de albahaca, el aceite, el tomate lavado y troceado, el diente de ajo pelado y las almendras fileteadas. Trituramos hasta dar con la textura que se desee. Colocamos la salsa en un tazón y vamos añadiendo el queso. Lo mezclamos todo bien y si vemos que la salsa queda demasiado espesa, añadimos un poco de agua de cocción. Salpimentamos la salsa, la mezclamos con la pasta y añadimos las hojas de albahaca.

✓ TRUCO
La pasta integral suele necesitar más tiempo de cocción que la refinada, pero si la dejamos a remojo aproximadamente una hora se rehidratará y se cocerá mucho antes. Eso sí, para economizar aprovecharemos el agua del remojado para hervirla.

✓ CONSEJO
La clave de este plato está en la salsa y en su textura granulosa, en la que pueden apreciarse cada uno de sus ingredientes, juntos y por separado. Por eso, si se dispone de tiempo y se trituran con el mortero, los sabores y aromas se intensificarán.

La harina de maíz integral procedente de cultivo ecológico con la que están elaborados estos espaguetis hace apto, incluso hasta para los celíacos, un clásico de la cocina italiana, donde los tomates frescos de la huerta son los protagonistas.

Espaguetis de maíz con salsa de tomate, queso parmesano y orégano

PARA 4 PERSONAS
TIEMPO: 40 MINUTOS
DIFICULTAD: BAJA

- 500 g de espaguetis de maíz
- Sal
- 1 kg de tomates maduros
- 4 cucharadas de aceite de oliva
- Una cebolla
- 2 dientes de ajo
- Una cucharadita de azúcar
- 20 g de parmesano rallado
- Orégano fresco

ELABORACIÓN. Ponemos la pasta a cocer en abundante agua hirviendo y sal. Cuando esté al dente, la escurrimos y la ponemos en una fuente. Para preparar la salsa de tomate, primero escaldamos los tomates 15 segundos en agua hirviendo. Los pelamos y troceamos. A continuación, calentamos el aceite en una sartén honda y añadimos la cebolla y los ajos bien picados. Rehogamos a fuego medio durante cinco minutos y añadimos el tomate troceado. Agregamos el azúcar y una pizca de sal. Cocinamos durante 20 minutos mientras removemos y machacamos los trozos de tomate de vez en cuando con una cuchara de madera. Una vez lista, servimos la salsa sobre los espaguetis espolvoreados con el queso parmesano y el orégano fresco.

✓ TOMATES FRESCOS

Los tomates tienen su mejor momento en verano y aunque pueden cosecharse verdes, pues maduran tras recolectarse, su sabor natural más preciado lo alcanzan madurando al pie de planta. Su color rojo brillante delata que está en su punto.

✓ CONSEJO

Para disfrutar de toda la calidad y el sabor de unos buenos tomates ecológicos no es recomendable guardarlos en la nevera, pues el frío afecta a su sabor y hace que tengan una textura harinosa. A temperatura ambiente aguantan unos tres días.

Alforfón con hongos, judías verdes y hojas de perejil fresco

El alforfón es un falso cereal que aporta gran cantidad de proteínas sin nada de gluten, es saciante y combina muy bien con infinidad de ingredientes. La fibra, las vitaminas y los minerales del champiñón y las judías hacen a este plato muy completo en nutrientes.

PARA 4 PERSONAS
TIEMPO: 45 MINUTOS
DIFICULTAD: BAJA

- Un diente de ajo
- Una cebolla
- Aceite de oliva virgen
- 200 g de judías verdes
- 350 g de hongos (setas o champiñones)
- 400 g de alforfón
- Sal, pimienta y perejil

ELABORACIÓN. Picamos el ajo y la cebolla y los rehogamos en una sartén profunda con cuatro cucharadas de aceite. Lavamos las judías verdes y las dejamos escurrir. Limpiamos las setas o los champiñones con un pincel o un paño. Las troceamos y las doramos. A continuación, añadimos el alforfón, salpimentamos y vertemos el doble de agua que la medida de alforfón. Calentamos hasta que rompa a hervir y bajamos a fuego medio, tapamos y cocinamos hasta que el agua se consuma. Si el grano está duro, podemos añadir más agua. Servimos y decoramos con hojitas de perejil fresco.

✓ TRUCO

Los granos de alforfón crudos son blanquecinos, pero pueden tostarse en una sartén sin aceite. Ese grano tostado es lo que se conoce como «kasha» y adquiere un sabor a nuez muy característico. La «kasha» se emplea para hacer gachas para el desayuno y algunos platos salados.

✓ CONSERVAR LOS INGREDIENTES

El alforfón crudo puede conservarse durante meses en un frasco hermético en el frigorífico. Pero las judías verdes deben consumirse tiernas y frescas a los pocos días de su recolección, o bien congelarlas previo escaldado. Lo mismo pasa con las setas: es mejor consumirlas pronto, aunque aguantan unos días en la nevera envueltas con un paño húmedo.

La quinua es un alimento muy completo que contiene los ocho aminoácidos esenciales que necesitamos. Acompañado con verduras y pollo se convierte en un plato único con una proporción equilibrada de proteínas, hidratos y minerales.

Quinua con calabaza y pollo al tomillo fresco

PARA 4 PERSONAS
TIEMPO: 45 MINUTOS
DIFICULTAD: BAJA

- 400 g de pechuga de pollo troceada
- 15 g de tomillo
- Pimienta
- Sal
- 500 g de quinua
- 1 l de caldo de pollo
- Una cebolla
- Un diente de ajo
- Aceite de oliva virgen
- 300 g de calabaza

ELABORACIÓN. Sazonamos los trozos de pollo con el tomillo, la pimienta y la sal y dejamos reposar para que vaya adquiriendo el sabor de la hierba. Mientras, enjuagamos la quinua bajo el chorro de agua fría, y la ponemos a hervir en una cazuela con el caldo de pollo hasta que este se evapore. Reservamos. Picamos la cebolla y el ajo y sofreímos en una sartén con cuatro cucharadas de aceite. Cortamos la calabaza en cuadraditos y la rehogamos muy bien en la sartén.

A continuación, añadimos el pollo y salteamos todo hasta que quede bien hecho. Incorporamos la quinua, mezclamos y cocinamos un par de minutos más mientras removemos. Cuando esté listo, servimos y decoramos con un poco de tomillo fresco.

✓ CONSERVACIÓN
Como sucede con cualquier otra semilla o grano, lo mejor para conservar la quinua es guardarla en un recipiente hermético en un lugar oscuro y fresco, pero a salvo de la humedad. Así puede aguantar meses, pero siempre será mejor consumirla antes de que haya pasado un año.

✓ CONSEJO
Los granos de quinua contienen saponinas que dan un sabor amargo y pueden resultar indigestas, por eso conviene lavarlos en un colador bajo el chorro de agua fría –no es necesario ponerlos en remojo–, para eliminar cualquier resto de saponinas.

Un plato sencillo, socorrido y muy sano. Con estos tallarines y sus ingredientes conseguimos un menú completo que aporta carbohidratos, proteínas y vitaminas del grupo B y E, indispensables para conservar la piel y tejidos en excelentes condiciones.

Pasta de colores con ajo, aceite, parmesano y albahaca fresca

PARA 4 PERSONAS
TIEMPO: 15 MINUTOS
DIFICULTAD: BAJA

- 2 dientes de ajo
- Aceite de oliva virgen y sal
- Una hoja de laurel • 350 g de nidos de tallarines al huevo de trigo, zanahoria y espinaca
- 125 g de queso parmesano
- Albahaca fresca

ELABORACIÓN. Pelamos los dientes de ajo y hacemos pequeñas lascas muy finas de ajo con un cuchillo bien afilado. Las doramos unos segundos en aceite bien caliente. Las sacamos con un tenedor y reservamos. Ponemos agua a calentar en una olla con sal, un chorrito de aceite y el laurel. Cuando rompa a hervir echamos los nidos de pasta y dejamos que hiervan dos o tres minutos. Sacamos los nidos con una espumadera para que no se deshaga la forma, escurrimos bien y emplatamos.

Repartimos tres nidos de distinto color en cada plato. Rociamos con un chorrito de aceite de oliva. Repartimos las láminas de ajo frito. Hacemos virutas de parmesano con el cuchillo y las distribuimos por los platos y terminamos espolvoreando hojas de albahaca fresca.

✓ PASTA CASERA
Para hacer unos tallarines caseros al huevo necesitamos 400 g de harina y 4 huevos. Colocamos la harina formando una montañita en la mesa limpia, echamos los huevos y trabajamos la masa hasta que quede consistente y no se pegue a los dedos. Pasamos el rodillo hasta obtener un espesor de 2 o 3 mm y dejamos que repose unos 10 minutos. Enrollamos la masa hasta obtener un rulo y vamos cortando en rodajas iguales que al deshacerse formarán los tallarines. Los cocemos y ya tenemos pasta fresca casera.

Los orígenes de la pasta no están muy definidos; chinos, etruscos y romanos se disputan el honor... pero sí se trata de un manjar de primer orden que está elaborado con las variedades de cereales tradicionales.

Fideos de arroz con gambas, pimiento, cebollino y salsa de soja

PARA 4 PERSONAS
TIEMPO: 20 MINUTOS
DIFICULTAD: BAJA

- 300 g de fideos de arroz
- 200 g de gambas o camarones peladas
- 2 pimientos verdes
- Una cebolla grande
- Aceite de oliva virgen
- 10 g de cebollino
- 150 ml de salsa de soja
- Sal

ELABORACIÓN. Ponemos a calentar agua en un cazo y cuando rompa a hervir incorporamos los fideos sin partir. Cocemos durante cuatro o cinco minutos o bien el tiempo que indique el fabricante. Removemos para impedir que se peguen los fideos y cuando estén al dente los colamos y reservamos. Pelamos las gambas crudas dejando el final de la cola y las reservamos. Lavamos los pimientos y los partimos en tiras, pelamos la cebolla y la partimos muy picadita. En un wok o en una sartén honda echamos un par de cucharadas de aceite y rehogamos las verduras un par de minutos. A continuación añadimos las gambas peladas y el cebollino picado. Cocinamos otro par de minutos e incorporamos los fideos. Rehogamos unos minutos y añadimos la salsa de soja. Mezclamos mientras cocinamos unos tres minutos y servimos.

✓ PASTAS DIFERENTES

Los fideos chinos, por lo general, están elaborados con harina de arroz o de soja o con almidón de mungo, que es el haba verde de soja. Esta materia prima con la que están hechos es lo que les diferencia de la pasta italiana, que utiliza principalmente harina de trigo. Si bien también hay fideos chinos de trigo a los que se denomina «miàn».

✓ CONSEJO

No es recomendable añadir sal al agua de cocción de los fideos porque la pasta suele estar ligeramente salada. Y tampoco hay que despistarse con el tiempo de cocción, pues estos fideos requieren menos tiempo que la pasta clásica.

Con un poco de harina y nuestra cosecha de la huerta podemos hacer en pocos minutos un delicioso plato que se resiste a pocos paladares. Las amplias posibilidades de la pizza le otorgan un alto y equilibrado poder nutricional.

Pizza casera con calabacín, cebolla roja, champiñón y piñones

PARA 4 PERSONAS
TIEMPO: 35 MINUTOS
DIFICULTAD: BAJA

- 250 g de harina • Sal
- 3 cucharadas de aceite de oliva • 100 ml de agua
- Un tomate grande maduro
- Un calabacín pequeño
- ½ cebolla • Champiñones
- 20 g de piñones • Albahaca fresca

ELABORACIÓN. Ponemos la harina con un par de pellizcos de sal en un bol y mezclamos con tenedor. Hacemos un hueco en el centro y echamos el aceite y el agua. Mezclamos bien con los dedos y amasamos a conciencia durante 10 minutos. Estiramos la masa con un rodillo espolvoreando un poco de harina para que no se pegue. Le damos a la masa la forma que queramos y la colocamos sobre una bandeja de horno cubierta con papel para hornear.

A continuación, rallamos el tomate y lo extendemos por la masa. Lavamos el calabacín, pelamos la cebolla, limpiamos los champiñones de tierra con un cepillo y cortamos las verduras en rodajas. Las repartimos por la masa de la pizza, añadimos los piñones y horneamos en el horno precalentado a 220 °C unos 15 minutos. Sacamos y adornamos con unas hojitas de albahaca fresca.

✓ CONSEJO
Antes de hornear, rociamos con un fino chorro de aceite de oliva virgen extra. La pizza quedará más jugosa y con un sabor exquisito.

✓ TRUCO
Si al darle forma nos sobra masa podemos hacer tiras y rociarlas con aceite y orégano. Tendremos unos colines riquísimos para tomar solos o acompañar los aperitivos.

La pasta es un alimento de muy fácil digestión y acompañada de verduras como las espinacas nos aporta un plus de fibra y minerales. Además, esta preparación resulta más apetitosa para los que no simpatizan con esta saludable verdura.

Penne con espinacas frescas, salsa de queso, pimienta roja y albahaca

PARA 4 PERSONAS
TIEMPO: 30 MINUTOS
DIFICULTAD: BAJA

- Una hoja de laurel y sal
- Aceite de oliva virgen
- 350 g de penne
- 500 ml de crema de leche
- 200 g de queso parmesano
- Un diente de ajo
- 400 g de espinacas frescas
- Granos de pimienta roja

ELABORACIÓN. En una olla cocemos abundante agua con sal un chorrito de aceite y la hoja de laurel. Cuando rompa a hervir añadimos la pasta y removemos para que no se pegue. Dejamos que hierva unos 10 o 12 minutos. Mientras tanto, ponemos en un cazo la crema de leche y el queso parmesano. Calentamos hasta que el queso se derrita y espese un poco la salsa.

A continuación, en una sartén grande, echamos una cucharada de aceite y doramos el ajo cortado en láminas. Después lavamos las espinacas, las escurrimos bien, las picamos y las salteamos en la sartén con los ajos unos segundos. Echamos los granos de pimienta y vamos agregando la salsa de queso. Removemos bien y cocinamos todo unos cinco minutos. Sacamos la pasta, la escurrimos y colocamos en una fuente, luego vertemos sobre ella la salsa de queso con espinacas.

✓ TRUCO
Es mejor preparar la salsa con antelación, así cuando tengamos cocida la pasta podremos servirla directamente caliente con la salsa.

✓ SABÍAS QUE...
La forma de anchos cilindros, con estrías o no, de la pasta penne hace que ésta tenga mucha más superficie, por eso resulta el mejor tipo de pasta para cocinar con salsas, ya que atrapa muy bien su sabor.

Hacer panes caseros lleva su tiempo, pero produce una gran satisfacción y nos sabe más rico. Además tenemos la posibilidad de añadir otros ingredientes que aumentan su calidad nutricional.

Galleta de centeno con salsa de ajo y orégano

PARA 6 PERSONAS
TIEMPO: 1 HORA Y 15 MINUTOS
DIFICULTAD: MEDIA

• 100 g de masa madre de centeno • Una cucharadita de levadura • 200 g de harina integral de centeno • ½ cucharadita de sal

PARA LA SALSA
• Una cucharada de mantequilla
• 10 dientes de ajo
• 300 ml de crema de leche
• Sal, pimienta y orégano

ELABORACIÓN. En un bol, mezclamos la masa madre y la levadura. Luego añadimos la harina de centeno y la sal, y mezclamos todo hasta obtener una masa densa y elástica. La tapamos con un paño o film y dejamos que fermente alrededor de una hora a temperatura ambiente. En ese tiempo prepararemos la salsa. A continuación, enharinamos bien la mesa y el rodillo y estiramos la masa hasta hacer una capa fina de unos 2 mm. Podemos dividir la masa en varias partes y colocarlas en una bandeja de horno forrada con papel para hornear. Precalentamos el horno a 220 °C. Pinchamos la masa con un tenedor y horneamos unos 20 o 30 minutos.

Para la salsa ponemos la mantequilla a derretir en una sartén y doramos, a fuego lento, los ajos triturados con una prensadora de ajos. Antes de que se oscurezcan añadimos la crema de leche. Sazonamos con sal y pimienta, removemos y dejamos que cueza a fuego lento unos 10 minutos. La volcamos en un bol, espolvoreamos con orégano y la dejamos enfriar a temperatura ambiente. Se sirve con las galletas de centeno.

✓ MASA MADRE CASERA

En un bol con tapa, mezclamos 25 g de harina integral de centeno con 50 ml de agua. tapamos y dejamos reposar 24 h a temperatura ambiente (24-26 °C). Al día siguiente, si la mezcla presenta burbujas, añadimos las mismas cantidades y volvemos a reposar otras 24 horas. Si no presenta actividad dejamos que repose un día más. Repetimos el proceso hasta completar 100 g de harina de centeno. Pasado el último reposado, guardamos en la nevera la masa madre lista para hacer pan. Si no vamos a utilizarla en un tiempo, podemos congelarla.

Rollitos de papel de arroz, gambas, pepino, col fresca y sésamo

Este plato asiático con base de arroz respeta todas las virtudes de las verduras frescas, ya que nos invita a aumentar la ingesta de estos alimentos crudos que hacen de estos rollitos una comida sencilla, muy sana, deliciosa y crujiente.

PARA 4 PERSONAS
TIEMPO: 30 MINUTOS
DIFICULTAD: BAJA

- Sal y Laurel
- 80 g de arroz
- 24 gambas
- Un pepino
- ¼ de col
- Hojas de cilantro y cebollino
- 8 obleas de papel de arroz
- Semillas de sésamo

ELABORACIÓN. Ponemos a cocer un par de vasos de agua con sal y una hojita de laurel. Cuando empiece a hervir añadimos el arroz y dejamos que cueza unos 15 minutos. Cuando esté cocido, lo colamos y remojamos con agua fría. Lo reservamos. También hervimos las gambas en agua con sal gorda. Las echamos cuando rompa a hervir y cocemos hasta que el agua vuelva a burbujear. En ese momento las sacamos y las metemos en un cazo con agua fría durante tres minutos. Las pelamos y reservamos.

A continuación, lavamos bien las verduras y las cortamos en bastoncillos más o menos finos. Luego ponemos un dedo de agua en un plato y, a medida que las vamos rellenando, sumergimos las obleas un minuto. Cuando la oblea esté reblandecida, la ponemos sobre un paño y la rellenamos poniendo pequeñas cantidades de verduras, un poco de arroz y tres gambas. Espolvoreamos las semillas de sésamo y cerramos el rollito. Servimos acompañados de una salsa.

✓ SUGERENCIA DE SALSA

Para hacer una salsa de sabor muy oriental que case bien con estos rollitos, mezclamos 50 ml de salsa de soja, una cucharada de vinagre de manzana, el zumo de media lima, una cucharadita de azúcar y unas gotas de tabasco. La servimos en un bol aparte.

Legumbres y frutos secos

Las legumbres son un alimento de larga tradición, saludable y equilibrado. Si le sumamos un puñado de frutos secos recién cosechados mantendremos un corazón sano y fuerte.

LEGUMBRES ORGÁNICAS

El componente principal de las legumbres son los hidratos de carbono, seguido de las proteínas, de ahí que sea un alimento recomendado para deportistas, niños o personas que se encuentren en condiciones de debilidad física, pero también es muy importante en personas sanas y no debe faltar una ingesta regular de entre dos y tres veces por semana. Sus proteínas no son tan completas en aminoácidos esenciales como las de origen animal, pero pueden suplirlas si se combinan con otros alimentos como cereales y verduras que contrarrestan las deficiencias de aminoácidos. Son miles las especies de legumbres pero solo consumimos unas pocas, entre ellas: garbanzos, alubias, lentejas, guisantes, habas y frijoles.

Las legumbres son alimentos considerados poco perecederos y si se mantienen en un lugar fresco y seco pueden aguantar hasta un año en perfectas condiciones.

A pesar de su durabilidad, lo más recomendable es consumir las legumbres antes de que pasen nueve meses, pues sus propiedades organolépticas se degradan y cada vez necesitarán más tiempo para cocinarse.

Las leguminosas juegan un papel muy importante en el sector de la agricultura ecológica, pues su cultivo es ya de por sí beneficioso para el entorno. Son capaces de regenerar la actividad biológica del suelo gracias a la acción de unas bacterias del género Rhizobium con las que se asocian y mediante las cuales pueden fijar el nitrógeno atmosférico al suelo. El nitrógeno es un fertilizante agrícola que debe aportarse a los cultivos intensivos y su excedente contamina las aguas subterráneas y ríos. Sin embargo, con las técnicas ecológicas se realiza un cultivo rotacional de leguminosas, por lo que no es necesario tal práctica, lo que redunda muy positivamente en la salud medioambiental.

Las legumbres son bajas en grasa, aunque existen dos excepciones: el maní o cacahuete y la soja. Dos alimentos que suelen consumirse en una variedad amplia de formas y no como la manera tradicional del resto de legumbres.

FRUTOS SECOS ORGÁNICOS

Son frutos con una proporción de agua mucho menor que la de las frutas: menos del 50%, pero con un alto porcentaje de grasas, también de vitaminas y de minerales. Por su contenido en grasa resultan muy calóricos, pero no peligrosos, ya que se trata de grasas insaturadas del tipo omega 3 y omega 6, las buenas. De hecho, tomados con moderación, los frutos secos pueden ayudar a regular el colesterol y a proteger el corazón. Y su riqueza mineral también tiene qué aportar: calcio para los huesos o fósforo para el sistema nervioso. Los frutos secos son semillas con cubiertas lignificadas como la nuez, avellana, pipa de girasol… pero también recibe el mismo apelativo la fruta que ha sido deshidratada como los orejones (albaricoques), higos secos, o las pasas (uvas).

Un puñado de frutos secos al día nos provee de vitaminas del grupo B y vitamina E. Y son una magnífica fuente de minerales como el calcio, fósforo, magnesio y potasio.

Los frutos secos no son un simple aperitivo, sino que contienen potentes antioxidantes como el selenio. Consumirlos es una forma natural de reducir el colesterol y combatir el envejecimiento celular.

Para que sean orgánicos, los frutos secos deben crecer sin sustancias químicas ni pesticidas, al igual que no haber sido tratados, en su procesado, con ningún aditivo químico para conservar el color o modificar el sabor. Al comprarlos es mejor adquirirlos enteros, con cáscara, pues su cubierta natural es la mejor para preservar todos sus nutrientes; además se conservarán durante mucho más tiempo. Pueden almacenarse en un sitio a temperatura ambiente, libre de humedad y bien ventilado. Pero si están pelados, el tiempo de almacenaje disminuye, ya que sus grasas se enrancian rápidamente. Lo más adecuado para conservarlos es guardarlos en recipientes herméticos de cristal.

Es un alimento muy versátil en la cocina. Triturados se emplean para espesar salsas y proporcionar sabores muy especiales (pesto romesco); y además combinan muy bien con las verduras, tanto cocidas como crudas.

Esta crema de otoño es muy nutritiva y fácil de digerir. Apta para toda la familia, que se beneficiará de los betacarotenos y vitamina C de la calabaza, así como de las proteínas, hierro y zinc de las lentejas. Un primer plato suave y suculento.

Crema de lentejas con calabaza y romero fresco

PARA 4 PERSONAS
TIEMPO: 45 MINUTOS
DIFICULTAD: BAJA

- Una cebolla
- 2 dientes de ajo
- Aceite de oliva virgen
- 250 g de calabaza
- 2 zanahorias medianas
- ½ cucharadita de pimentón
- Un ramillete de romero fresco
- ½ vaso de vino blanco
- 250 g de lentejas rojas
- Sal y pimienta

ELABORACIÓN. Picamos la cebolla y los dientes de ajo y los ponemos a rehogar en una cazuela con tres cucharadas de aceite. Cortamos la calabaza en dados, pelamos las zanahorias y las troceamos. Las añadimos a la cazuela junto al pimentón y una ramita de romero fresco y salteamos un minuto. Vertemos el vino blanco y a continuación las lentejas previamente lavadas en agua fría. Cubrimos con un litro de agua y salpimentamos al gusto. Removemos bien y llevamos a ebullición. Cuando rompa a hervir, tapamos y dejamos cocer unos 30 minutos.

Cuando estén cocidos todos los ingredientes, sacamos la rama de romero y trituramos con la batidora o el robot de cocina hasta conseguir la textura deseada. Emplatamos y adornamos con brotes de romero.

✓ TRUCO
Las lentejas rojas están desprovistas de piel, por lo que resulta una legumbre idónea para la preparación de cremas o purés. Al cocerse, prácticamente se deshacen y solo requieren un ligero triturado sin que haya que emplear un chino ni ningún otro aparato con el que separar el hollejo que presentan las otras variedades de lentejas.

✓ CONSEJO
Aunque existen calabazas de verano, las mejores son las de otoño-invierno, pues cuentan con una pulpa mucho más dulce y jugosa que por su textura puede enriquecer todas las cremas y sopas que cocinemos.

Pastel de nueces con queso cottage

Este bizcocho es una gran fuente de calcio y vitaminas gracias al cottage (también sirve el requesón), un queso fresco que disminuye el valor calórico del pastel favoreciendo la salud ósea y muscular.

PARA 4 PERSONAS
TIEMPO: 1 HORA
DIFICULTAD: MEDIA

- 200 g de harina
- Una cucharada de levadura
- Sal
- 3 huevos
- 150 g de azúcar moreno
- 100 ml de leche
- 6 cucharadas de aceite de oliva
- 250 g de queso cottage
- 60 g de nueces peladas

ELABORACIÓN. Precalentamos el horno a 200 °C y engrasamos con un poco de aceite un molde alargado para bizcocho, lo forramos con papel encerado y lo engrasamos de nuevo con aceite. En un bol ponemos la harina previamente tamizada con un colador, la levadura y un pellizco de sal al gusto.

En otra fuente batimos los huevos con el azúcar, añadimos la leche, el aceite y el queso y batimos todo bien. Añadimos las nueces picadas y vamos incorporando la harina poco a poco mientras mezclamos hasta obtener una masa homogénea y sin grumos.

La vertemos sobre el molde (una buena idea es colocar sobre la superficie medias nueces para decorar) y horneamos unos 40 o 50 minutos aproximadamente. Una vez pasado el tiempo necesario, dejamos que se enfríe por completo y lo desmoldamos.

✓ TRUCO
Para comprobar si está hecho el bizcocho podemos atravesarlo con un pincho o una aguja metálica de hacer punto. Si sale limpio, está listo; si está manchado con parte de la masa, le daremos unos minutos más.

✓ SUGERENCIA CULINARIA
Si queremos obtener un bizcocho que sea más saludable y nutritivo, no tenemos más que cambiar la harina de trigo por una integral de espelta que aporta mucha más fibra y vitaminas pertenecientes al grupo B.

Asociamos las legumbres a preparaciones calientes para tomar en los meses más fríos, pero lentejas, garbanzos y alubias pueden presidir los platos más veraniegos y sabrosos como la ensalada que aquí te presentamos.

Ensalada de lentejas, patata y bacón con salsa de yogur y eneldo fresco

PARA 4 PERSONAS
TIEMPO: 15 MINUTOS
DIFICULTAD: BAJA

- 200 g de lentejas • Sal gorda
- Aceite de oliva virgen
- 2 patatas medianas • 150 g de bacón magro • 2 yogures naturales sin azúcar
- Pimienta blanca molida
- 2 pepinillos en vinagre
- Un ramillete de eneldo fresco

ELABORACIÓN. Lavamos las lentejas y las ponemos a cocer en una olla con el doble de agua hasta que estén cocidas. Dependiendo de si son de cocción rápida o no, pueden llevar de 30 a 50 minutos. Cuando estén cocidas, agregamos la sal y un chorrito de aceite, mezclamos y dejamos enfriar. Mientras se cuecen las lentejas cocemos también las patatas con piel, en agua con un pellizco de sal gorda, unos 35 minutos a fuego lento. Para saber si están cocidas, las atravesamos con un palillo o un pincho de cocina. Cortamos el bacón en taquitos y lo salteamos un minuto en la sartén. Una vez cocidas las patatas las dejamos enfriar.

Para la salsa, ponemos los yogures en un bol, una cucharada de aceite y la pimienta y lo batimos con un tenedor. Cortamos muy picadito los pepinillos y el eneldo fresco y lo mezclamos con el yogur. A continuación, ponemos las lentejas en un bol, añadimos el bacón, pelamos las patatas, las cortamos en dados y las incorporamos al bol. Vertemos la salsa, removemos todo bien y servimos.

✓ CONSEJO
Para cocer lentejas para ensalada debemos usar el doble de agua que de lentejas, pero para hacer otros guisos utilizaremos tres partes de agua por cada porción de legumbre. Y si ponemos las lentejas en un remojo previo (aunque no lo necesitan) acortaremos el tiempo de cocción.

No solo son una dulce tentación, también poseen la fuente de la juventud, ya que el maíz es muy rico en vitaminas E y A. Su poder antioxidante nos ayuda a combatir las secuelas del paso del tiempo.

Galletitas de almendra con maíz y menta

PARA 6 PERSONAS
TIEMPO: 40 MINUTOS
DIFICULTAD: BAJA

- 800 g de mantequilla
- 65 g de azúcar glas
- 30 g de almendras trituradas
- Un huevo
- 180 g de harina de maíz sin refinar

PARA EL GLASEADO
- 6 fresas grandes
- Una clara de huevo
- 200 g de azúcar glas

ELABORACIÓN. Previamente habremos dejado la mantequilla fuera de la nevera, unos horas antes, para que se atempere y obtener el punto de pomada. Cuando esté cremosa, la mezclamos con el azúcar glas, luego añadimos las almendras muy trituradas y el huevo sin batir y lo mezclamos todo de nuevo. Vamos agregando la harina poco a poco mientras amasamos con las manos. Al cabo de unos minutos conseguiremos una masa algo pegajosa.

Con el rodillo untado con un poco de harina extendemos la masa sobre la mesa enharinada dejándola con un grosor de 1 cm. Luego cortamos la masa con moldes de formas variadas y colocamos las galletas en una bandeja con papel de hornear. Las metemos en el horno precalentado a 200 ºC y horneamos de 15 a 20 minutos, vigilando para que no se tuesten demasiado. Las sacamos y dejamos enfriar. Las decoramos con la glasa de fresa.

✓ PARA EL GLASEADO
Mientras se hornean las galletas podemos elaborar la glasa para decorar. Para ello trituramos las fresas y las colamos para obtener el jugo. Luego batimos la clara hasta que empiece a espumar, pero sin que llegue a punto de nieve. Añadimos el jugo de fresa a la clara y mezclamos suavemente. Agregamos un tercio del azúcar y batimos con las varillas a velocidad muy lenta.

Continuamos añadiendo el azúcar poco a poco mientras batimos hasta conseguir una textura cremosa sin que gotee. Ponemos la glasa en una manga pastelera y decoramos las galletas ya horneadas.

La larga conservación de las legumbres nos permite disfrutar de este alimento en cualquier época del año. Legumbres como las judías nos proporcionan energía de forma constante y nos ayudan a prevenir enfermedades gastrointestinales.

Judías con patata temprana, ajo, cebolleta crema agria e hinojo

PARA 4 PERSONAS
TIEMPO: 2 HORAS
DIFICULTAD: BAJA

- ½ kg de alubias blancas
- Una cebolleta
- 3 patatas
- 3 dientes de ajo
- 2 hojas de laurel
- Aceite de oliva y sal
- Hinojo fresco
- Crema agria

ELABORACIÓN. La noche anterior ponemos las judías en remojo con agua fría. Por la mañana las escurrimos y las ponemos en una cazuela, añadimos la cebolleta picada, las patatas peladas y cortadas, los dientes de ajo enteros y las hojas de laurel. Añadimos un chorrito de aceite, sal y agua fría hasta que cubra todos los ingredientes. Dejamos que hierva a fuego lento durante dos horas aproximadamente.

Apagamos, dejamos que baje la presión y que se temple el guiso. Servimos las judías estofadas con el hinojo picado. Acompañamos con la crema agria servida aparte. También podemos hacer una crema siguiendo la receta de página 102.

✓ TRUCO
La legumbre es altamente nutritiva y ofrece platos muy completos. Prácticamente todo son ventajas, salvo que su digestión puede provocar gases. El hinojo y el anís ayudan a reducir la flatulencia, por lo que condimentar con estas semillas o sus hierbas nos ayuda a digerir mejor las legumbres.

✓ CONSEJO
Salvo las lentejas, casi todas las legumbres necesitan ponerse en agua antes de su cocinado. Esto acorta considerablemente el tiempo de cocción. Pero hay que tener en cuenta que la judía al hidratarse se hincha bastante, por lo que hay que poner entre dos y tres veces su volumen en agua.

Con la masa de almendras se elabora un dulce delicioso: el mazapán. Un alimento muy nutritivo y rico en vitamina E y calcio que fomenta la salud cardiovascular protegiendo nuestras arterias y previniendo las enfermedades degenerativas.

Masa de almendras dulces, miel mil flores y azúcar moreno

PARA 6 PERSONAS
TIEMPO: 15 MINUTOS
DIFICULTAD: BAJA

- 50 ml de agua
- Jugo de limón
- 50 g de miel mil flores
- 225 g de azúcar glas
- 250 g de almendra molida
- Una yema de huevo
- 20 g de almendras crudas
  peladas

ELABORACIÓN. En un cazo calentamos un poco el agua con un chorrito de jugo de limón, añadimos la miel y movemos hasta que se disuelva. Retiramos del fuego y agregamos 200 g de azúcar y la almendra molida. Mezclamos todo bien hasta obtener una masa densa. La espolvoreamos con un poco más de azúcar glas y la estiramos con el rodillo sobre una lámina de papel de horno. Añadimos un poco más de azúcar y amasamos. Formamos una bola y la dejamos reposar en la nevera unos 10 minutos. Mientras, podemos ir separando las mitades de las almendras crudas.

Sacamos la masa y hacemos bolitas de mazapán del mismo tamaño. Batimos la yema y rebozamos las bolitas, dejamos que escurran un poco y adornamos con tres mitades de almendra entera. Luego las colocamos en la bandeja forrada con papel de horno y gratinamos con el grill, con el horno precalentado a 180 °C, 10 o 15 minutos vigilando que no se tuesten demasiado. Sacamos, dejamos enfriar y servimos.

✓ TRUCO
Si tenemos almendras crudas, podemos hacer otras versiones de este fruto seco que nos permitirán más variaciones culinarias. Para pelarlas, las vertemos en agua hirviendo y las sacamos cuando vuelva a hervir. Podemos tostarlas en el horno a 160 °C o freírlas en la sartén con un poco de aceite y sal.

Lácteos y huevos

Tienen un importante papel en nuestra dieta porque son proveedores de proteínas, sin olvidar las vitaminas A, grupo B, D y E y minerales como el calcio.

LÁCTEOS ORGÁNICOS

Los lácteos son un conjunto de alimentos básicos y muy completos. La leche contiene: hidratos de carbono, el principal, la lactosa; proteínas; lípidos en forma tanto de grasas saturadas como de grasas esenciales; vitaminas A, D y del grupo B, y minerales como el calcio y el fósforo. Se aconseja consumir dos o tres raciones diarias de lácteos, por ejemplo de 400 a 600 ml de leche o de 120 a 180 g de queso.

Pero para que un producto lácteo tenga el certificado de orgánico o ecológico es necesario que se cumplan los siguientes requisitos: **los animales no deben haber consumido ningún tipo de alimento que haya sido tratado con herbicidas o pesticidas.** Los pastos son tratados con abonos orgánicos, por lo general provenientes del reciclado de los residuos de los propios

> La leche ecológica de oveja es la que ofrece más nutrientes (un 80% más de calcio que la de vaca), seguida de la leche de cabra y por último la de vaca, la menos digerible de todas.

Los quesos, yogures y bebidas lácteas tienen un gran interés desde el punto de vista nutricional, ya que debido a su menor contenido en lactosa son mejor asimilados por las personas intolerantes a la lactosa.

animales. Otros requisitos son que vivan al aire libre y que no se fuerce la producción de leche de forma artificial.

Por lácteos no entendemos solo la leche de vaca, sino leches de muy variadas especies como el yak, el reno, la llama o el camello, o más comunes, como las de cabra, oveja y búfala. La leche de cabra tiene un bajo aporte calórico comparada con la de vaca, pues posee menos grasas, pero además aporta ácidos grasos insaturados y su tasa de colesterol es positiva frente a otras leches. Tiene un nivel bajo de lactosa, por lo que es mejor tolerada por los alérgicos a la lactosa y a la caseína.

La producción de leche de una vaca con cuidados ecológicos puede ser la mitad de una vaca de una explotación industrial, pero la calidad de la leche es superior en el primer caso, ya que la alimentación es 100% natural.

HUEVOS ECOLÓGICOS

El huevo es un alimento de alto valor nutritivo: es fuente de proteínas, vitamina A, ácido fólico, fósforo… Y le afecta cómo ha sido criada la gallina. De hecho, el color más o menos amarillo de la yema viene dado por la alimentación de la gallina. Por ejemplo, el maíz y la alfalfa son ricos en xantófilas, carotenoides que dan el color amarillo. Por eso conviene tener en cuenta que la inmensa mayoría de las gallinas ponedoras viven en jaulas y son tratadas a diario con antibióticos y medicamentos. Residuos de esas sustancias pasarán al huevo y de ahí a los humanos que las consumen. Un dato a tener en cuenta, aparte del bienestar que se proporciona al animal.

Para conocer qué tipo de huevo estamos consumiendo, algunos países obligan a la

La leche de cabra y sus derivados son más fáciles de digerir y se toleran mejor que los lácteos de vaca. Además tiene un mayor contenido de grasas saludables, vitaminas y minerales.

Los huevos frescos de máxima calidad no se lavan ni se limpian ni se refrigeran por debajo de 5 ºC . Se venden los nueve días siguientes a la puesta y su consumo debe ser lo más inmediato posible.

identificación del huevo con un código impreso en el que la primera cifra indica la clase de gallina y el método de cría y cuidados.

Para los huevos ecológicos este número debe ser cero. Esto significa que tienen acceso a corrales al aire libre y entornos vivos. Las condiciones del alojamiento responden a las necesidades biológicas y etológicas de las gallinas. Ni el entorno ni las propias gallinas son tratadas con productos químicos. Tampoco están medicadas con antibióticos ni hormonas. Tienen acceso al aire libre y pueden moverse con total libertad en las instalaciones. Los alimentos proceden en un 80% de la agricultura ecológica y en ningún caso emplean transgénicos.

Los colores habituales son marrones o blancos y no existe ninguna diferencia nutricional o de sabor entre ellos. También hay huevos azules y verdes de un tipo de gallina que se cría en localidades de Argentina y Chile y saben igual.

Un plato versátil para tomar como desayuno, aperitivo o postre y que sin duda aporta mucha energía, pero con un gran equilibrio nutricional, ya que ayuda a controlar el colesterol y a fortalecer los huesos gracias al calcio, hierro y cobre.

Queso de cabra con miel y uvas

PARA 4 PERSONAS
TIEMPO: 20 MINUTOS
DIFICULTAD: BAJA

- 250 g de queso brie de cabra
- 150 g de uvas
- 20 g de nueces peladas
- Un bote de miel de romero con panal

ELABORACIÓN. Sacamos el queso del frigorífico y lo mantenemos 15 minutos a temperatura ambiente. Lo colocamos en una fuente o plato sobre papel encerado junto a las uvas previamente lavadas, las nueces peladas y picadas y algunos trozos de miel con panal. Cortamos pequeñas cuñas de queso que pinchamos con trozos de panal de miel y comemos con las nueces y las uvas. La cera del panal se mastica liberando la miel. No hay problema si nos tragamos la cera, pues es comestible, pero si no nos gusta, la retiramos.

✓ TRUCO
Aunque es un aperitivo otoñal, pues las uvas se recolectan a principios del otoño, podemos disfrutar de él todo el año si sustituimos las uvas por otra fruta más veraniega como las ciruelas. Eso sí, en este caso emplearemos las mitades deshuesadas.

✓ SUGERENCIA DE PRESENTACIÓN
Con estos mismos ingredientes y un poquito de pimentón podemos realizar unos pinchos que quedan muy atractivos como aperitivo. Cortamos el queso de cabra en unos 10-12 trozos y reservamos. Trituramos las nueces peladas con un mortero dejando una textura más o menos gruesa, las ponemos en un cuenco y reservamos. Lavamos las uvas y las atravesamos con palillos largos de brocheta.

A continuación, las bañamos en miel y las hundimos en el cuenco de las nueces machacadas. Después pinchamos cada uva crocanti en un trozo de queso, espolvoreamos con un poco de pimentón, y ya están hechos los aperitivos 100% orgánicos.

Este entrante es toda una experiencia para el paladar y un excelente reconstituyente para el organismo. La remolacha es rica en vitaminas A y C y hierro, y su sabor dulce casa con los sabores tan aromáticos de la rúcula, el queso y el tomillo.

Queso de cabra en ensalada con remolacha, rúcula y tomillo

PARA 4 PERSONAS
TIEMPO: 20-90 MINUTOS
DIFICULTAD: BAJA

- 400 g de remolacha fresca o un paquete de la cocida
- 250 g de queso de cabra
- Un manojo de rúcula

PARA EL ALIÑO
- 6 cucharadas de aceite de oliva virgen
- 2 cucharadas de vinagre de Jerez
- Una cuharadita de miel
- Una cucharada de mostaza de Dijon
- Sal
- Tomillo

ELABORACIÓN. Lavamos las remolachas cuidadosamente para quitar la tierra sin romper la piel, y las ponemos a cocer en agua hirviendo con sal durante una hora y cuarto aproximadamente. Las atravesamos con una aguja para comprobar que estén cocidas; las pelamos y cortamos en rodajas. Hacemos pequeñas torres alternando rodajas de remolacha con porciones de queso de cabra fresco y unas hojitas de rúcula.

Para el aliño, mezclamos en un bol el aceite, el vinagre, la miel, la mostaza, un pellizco de sal y tomillo en polvo. Batimos con un tenedor hasta que se integre todo bien. Aliñamos las torres de remolacha y espolvoreamos hojas de tomillo y de rúcula.

✓ TEMPORADA DE REMOLACHAS
La mejor época para la recolección y el consumo de remolachas es del otoño a la primavera. Están repletas de nutrientes y pueden tomarse crudas ralladas o cortadas muy finas en ensaladas. Al seleccionarlas debemos fijarnos en su aspecto redondeado, carnoso y firme, con las hojas de un verde brillante.

✓ PEQUEÑAS Y TIERNAS
Las remolachas grandes suelen ser más fibrosas, por lo que es recomendable seleccionar aquellas que no sobrepasen los 7-8 cm de diámetro. Y a la hora de cocerlas debemos procurar también que sus tamaños sean parecidos para que se cocinen por igual.

Mediante la fermentación natural que realizan las distintas bacterias lácticas se añaden nuevos sabores y texturas a los productos lácteos que enriquecen las posibilidades gastronómicas y nutricionales de los mismos.

Crema agria casera con leche de cabra fermentada

PARA 6 PERSONAS
TIEMPO: 15 MINUTOS (MÁS 24 HORAS DE REPOSO)
DIFICULTAD: BAJA

- 15 ml de zumo de limón
- 200 ml de leche entera de cabra
- 1 l de nata líquida o crema de leche
- Sal o azúcar (opcional)

ELABORACIÓN. Añadimos el zumo de limón –también puede emplearse vinagre de vino blanco– a la leche de cabra y dejamos que repose unos 10 minutos para que la leche se corte. Una vez cortada, la vertemos en un bol que contiene la nata líquida. Removemos para homogeneizar y tapamos bien con film transparente, papel de cocina o tapa de cristal.

Dejamos que repose a temperatura ambiente o en un lugar cálido (20-25 °C) durante 24 horas aproximadamente. Removemos cada ocho o 12 horas para que fermente toda la nata.

Pasadas 24 horas, batimos con las varillas y ponemos a refrigerar en el frigorífico, donde terminará de espesar. Dependiendo del uso que queramos darle (para repostería o platos salados), añadiremos azúcar o sal al gusto antes de refrigerarla.

✓ USOS CULINARIOS
La crema agria dulce puede emplearse sobre fruta fresca, crêpes, helados o acompañando tartas. Su versión salada es muy utilizada en la cocina mexicana para los tacos y burritos o como salsa para las patatas asadas.

✓ CONSERVACIÓN
Una vez preparada, la crema agria debe guardarse en el frigorífico y consumirse en una semana o incluso 10 días.

El yogur es un alimento de propiedades excelentes. Es fuente de calcio, vitaminas del grupo B y aporta microorganismos vivos que ayudan a regenerar nuestra flora intestinal. Es uno de los lácteos fermentados más populares y beneficiosos.

Yogur casero con mermelada de naranja, copos de avena y nueces

PARA 8 PERSONAS
TIEMPO: 8-12 HORAS
DIFICULTAD: BAJA

- Un yogur natural
- 1 l de leche entera
- Mermelada de naranja
- 80 g de copos de avena
- 8 nueces peladas

ELABORACIÓN. Echamos el yogur en un recipiente de vidrio o plástico. Calentamos la leche sin que llegue a hervir. Lo ideal es que no pase de 85 °C. Una señal será cuando la leche empiece a humear. La dejamos enfriar un poco sin que baje de los 45 °C y la vertemos en el recipiente que contiene el yogur. La mezclamos bien con el yogur y mantenemos el recipiente tapado en un ambiente caliente, por ejemplo dentro de una caja de madera o cartón o algún material aislante o cerca de un radiador. Lo ideal es mantener la temperatura a 40-45 °C. Lo dejamos reposar durante seis u ocho horas.

Pasado ese tiempo la leche habrá fermentado y se habrá transformado en yogur. A continuación, lo refrigeramos en la nevera para detener la fermentación. Una vez frío lo repartimos en varios vasos o copas alternándolo con capas de mermelada de naranja. Al final rematamos con un puñado de copos de avena y nueces trituradas. Volvemos a refrigerar antes de servir.

✓ TRUCO
Otra forma de conseguir una temperatura cálida para favorecer la actuación de las bacterias lácticas es precalentar el horno al máximo cinco minutos, apagamos y metemos el recipiente durante ocho horas. Si el yogur no tiene consistencia se puede repetir el proceso.

Pastel con huevo, espinacas, atún, cebolla y crema de queso fresco

Las tartas saladas tienen como base la masa quebrada, los huevos y los lácteos. A partir de ahí son nuestros gustos y la estación los que pueden convertir este delicioso plato en sanísimas recetas beneficiosas para el paladar y el organismo.

PARA 4 PERSONAS
TIEMPO: 40 MINUTOS
DIFICULTAD: BAJA

- Masa quebrada (ver receta)
- 2 huevos • 200 ml de nata líquida • 100 g de atún
- 100 g de espinacas frescas
- ½ cebolla • 200 g de queso fresco de cabra

PARA LA MASA QUEBRADA
- 250 g de harina • Sal • 125 g de mantequilla • Un huevo

ELABORACIÓN. Precalentamos el horno a 180 °C. Forramos un molde redondo de unos 25 cm de diámetro –o cuatro de 10 cm–, con papel de hornear. Cubrimos el molde con la masa quebrada, pinchamos el fondo con un tenedor y horneamos 10 o 12 minutos.

Mientras se hornea la base, batimos los huevos y los mezclamos con la nata, añadimos el atún escurrido, las espinacas lavadas y la cebolla picada. Removemos y agregamos el queso desmenuzado. Ponemos toda la mezcla en el molde con la base horneada y metemos en el horno durante media hora aproximadamente. Sacamos cuando el relleno esté cuajado.

✓ MASA QUEBRADA
Tamizamos la harina en un bol, echamos una pizca de sal y añadimos la mantequilla que debe estar en el punto de pomada, es decir, a temperatura ambiente y fácil de deshacer con las manos.

Lo mezclamos todo bien hasta que la masa quede con grumos como con aspecto de migas. Luego batimos el huevo, lo añadimos al bol y lo mezclamos hasta obtener una masa bien ligada. Hacemos una pelota, la envolvemos en film transparente y dejamos que repose en la nevera durante una hora.

Una dulce tentación de gran contenido calórico, pero que a cambio aporta vitaminas del grupo B y minerales como el calcio, fósforo y potasio que ayudan a prevenir la osteoporosis.

Tarta de queso fresco con frambuesas

PARA 4 PERSONAS
TIEMPO: 20 MINUTOS
DIFICULTAD: BAJA

• 100 ml de leche • Una rama de canela • Corteza de un limón • 6 g de agar-agar • 4 yemas de huevo • 50 g de azúcar • 350 g de queso mascarpone • 250 ml de nata montada

PARA LA COBERTURA
• 250 g de frambuesas
• 8 g de agar-agar
• 2 cucharadas de azúcar

ELABORACIÓN. Calentamos la leche con la piel del limón, la rama de canela y el agar-agar. Dejamos que hierva un minuto y retiramos el cazo del fuego.

Aparte, batimos las yemas con el azúcar, retiramos la piel del limón y la canela de la leche y vertemos las yemas en el cazo. Mezclamos y añadimos el queso. Lo batimos todo bien, y dejamos que se enfríe a temperatura ambiente. Luego añadimos la nata montada a la crema mezclando suavemente y la colocamos en un molde desmontable. Dejamos que cuaje en el congelador una hora.

Mientras tanto, trituramos las frambuesas y colamos el puré para eliminar las semillas. En un cazo calentamos 100 ml de agua, añadimos el agar-agar y el azúcar, movemos para disolver y cuando comience a hervir retiramos del fuego. Agregamos el puré de frambuesas, removemos y dejamos que se temple. Sacamos el molde y esparcimos la cobertura de frambuesa por la superficie. Metemos de nuevo en el congelador hasta su consumo.

✓ VERSIONES MÁS LIGERAS
El queso mascarpone tiene alrededor de un 47% de materia grasa, por lo que si nos preocupa ingerir demasiadas calorías conviene ir reduciendo su número en las diferentes partidas. En lo que se refiere al queso, este puede ser sustituido por otro más ligero como el requesón, con menos del 10% de materia grasa. También es posible usar nata de menor carga calórica y azúcar de régimen para un resultado un poco más ligero, pero un postre siempre será un postre.

Frutas y bayas

Son la principal fuente de antioxidantes y verdaderas responsables del mantenimiento de nuestra salud.

SALUD NATURAL

Su fuerte son las vitaminas, y las frutas ecológicas poseen una mayor cantidad respecto de las procedentes de cultivos industriales. También nos surten de minerales y fibra y su diversidad es tan amplia que no hay excusa para dejar comer este manjar tan saludable. Muchas de sus vitaminas tienen propiedades antioxidantes, pero también poseen otras sustancias fitoquímicas con la misma actividad (carotenoides, flavonoides, antocianos) y que resultan clave a la hora de luchar contra el deterioro celular y prevenir enfermedades degenerativas como el cáncer o enfermedades cardiovasculares.

También gozan de estas características las bayas o frutos del bosque que suelen ser menos dados a ser cultivados y sí a ser cosechados como frutos silvestres en su temporada óptima. De ahí

Del mismo modo que las verduras y hortalizas, las frutas de cultivo natural no deberían faltar a diario en nuestra dieta. Los beneficios se multiplican en estas piezas de vitaminas.

Algunas bayas y frutas pequeñas pueden servir como nutritivo adorno en ensaladas y platos de mayor peso gastronómico. Es una manera natural y saludable de dar color a nuestra mesa del día a día.

que con una salida al campo en su época podamos abastecernos con una provisión de bayas orgánicas.

Quizás puede resultarnos chocante la apariencia física de los ejemplares. Puede que tengan máculas o deformaciones, pues la selección de semillas que tienden a emplearse en la agricultura orgánica no busca el mejor aspecto de la fruta sino destacar su sabor o jugosidad. Además consumiendo fruta ecológica tendremos la certeza de que están libres de sustancias químicas como restos de plaguicidas. Esto da la posibilidad de comer la fruta fresca, cruda y entera, con piel (la que sea apta para comerse así, claro) con total seguridad.

En la piel de muchas frutas comunes, como las manzanas y peras, se acumula la mayoría de la fibra y las vitaminas. Pero aunque sea orgánica conviene lavarla igualmente antes de ser consumida.

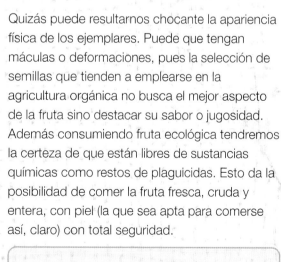

DE TEMPORADA

Una característica muy importante de la fruta ecológica es su estacionalidad. Dispondremos de las variedades que correspondan a la temporada. Pero esto, lejos de ser un inconveniente, supone una gran ventaja. Por un lado, al ser productos locales se economiza en su transporte; por otro, como son de la estación no se han empleado recursos y energía en forzar o mantener su producción y, precisamente por ser de temporada, estarán en su mejor momento de maduración que se traduce en mejor sabor y calidad nutritiva.

Como ya hemos visto, la mejor forma de tomar la fruta es fresca y cruda, pero también se presta a ser cocinada pues su sabor es exquisito en postres y en la repostería en general. Aunque

La agricultura ecológica aboga por la autosuficiencia, la biodiversidad, el respeto por el medio ambiente y el bienestar del consumidor. Es una alternativa de vida y no solo gastronómica.

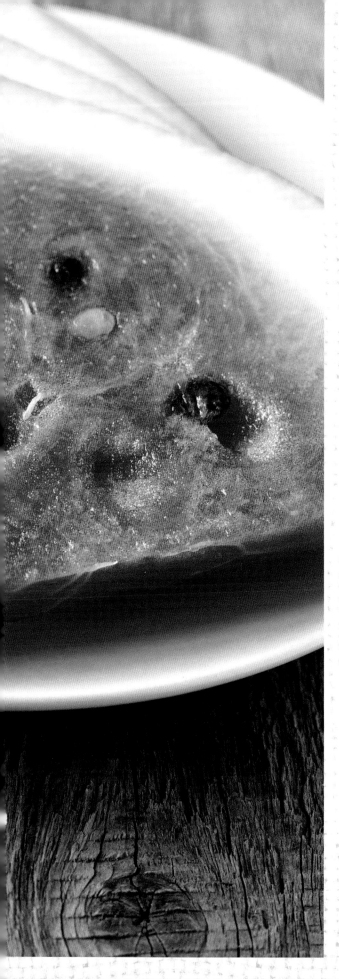

puede formar parte de salsas, compotas o ser ingrediente de platos principales.

Precisamente la fruta es un alimento perecedero que, por lo general, no suele durar almacenado más allá de un par de semanas; sobre todo cuando es recogido en su momento óptimo de maduración o de consumo. Aunque diversos estudios han comprobado que la fruta orgánica es más resistente a la podredumbre porque contiene más materia seca que la industrial. No obstante algunos métodos de conservación como son la compota, la mermelada o el almíbar nos permiten disfrutar de la fruta en cualquier época del año, eso sí con menos nutrientes y con otros aromas y texturas no por ello menos deliciosos.

Si no tenemos problemas de sobrepeso, podremos disfrutar de estas tentadoras tartaletas hechas con la cosecha de limones de invierno. Nos aportarán vitamina C, que fortalece nuestras defensas. Y la masa, aunque calórica, es rica en vitamina D.

Tartaleta de limón de invierno con brotes de menta fresca

PARA 6 PERSONAS
TIEMPO: 45 MINUTOS
DIFICULTAD: BAJA

PARA LA MASA BRISA
- 250 g de harina (integral o de espelta)
- 5 g de sal
- 125 g de mantequilla
- 2 huevos
- Aceite de oliva virgen
- 6 moldes pequeños
- Menta fresca

PARA LA CREMA
- 4 limones
- 150 g de azúcar
- 4 huevos
- 100 g de mantequilla

ELABORACIÓN. En un bol echamos la harina previamente tamizada, la sal y la mantequilla a temperatura ambiente, mezclamos un poco y añadimos los huevos ligeramente batidos. Amasamos bien con las manos hasta que tenga una consistencia más bien dura. Terminamos de amasar en la encimera limpia con un poco de harina. Hacemos una bola con la masa y la dejamos reposar tapada con un paño limpio durante 30 minutos.

A continuación, dividimos la masa en pequeñas porciones, según el tamaño y número de nuestros moldes, y las vamos estirando con el rodillo. Engrasamos los moldes con un poco de aceite o de mantequilla, les ponemos un poco de harina y colocamos la masa bien distribuida en ellos. Pinchamos la base y horneamos 12 minutos a 180 °C. Cuando estén dorados, dejamos que se templen.

✓ PARA LA CREMA
Exprimimos los cuatro limones y añadimos en un cazo el zumo, 50 ml de agua, la ralladura de dos de los limones, el azúcar y los huevos, mezclamos bien y añadimos la mantequilla. Calentamos a fuego lento mientras movemos continuamente hasta que espese. Dejamos templar unos cinco minutos, colamos la crema y rellenamos las tartaletas. Adornamos con hojitas de menta.

Los distintos cultivares de manzana permiten que disfrutemos de este manjar durante todo el año. Una manzana al día (mejor con piel) ayuda a regular las funciones gastrointestinales y protege contra las enfermedades cardiovasculares.

Torta de verano con manzana y canela

PARA 6 PERSONAS
TIEMPO: 40 MINUTOS
DIFICULTAD: BAJA

- ½ l de leche
- 100 g de azúcar moreno
- Una corteza de limón
- Canela en rama
- 50 g de harina de maíz
- 3 yemas de huevo
- 10 g de mantequilla
- Una lámina de masa de hojaldre
- 3 manzanas initial

ELABORACIÓN. Precalentamos el horno a 180 °C. Ponemos a calentar en un cazo 300 ml de leche con el azúcar, la corteza de limón y la canela en rama. En otro cazo disolvemos la harina con la leche restante, agregamos las yemas a la leche caliente y mientras removemos, vamos incorporando también la mezcla anterior. No dejamos de mover hasta que la crema comience a espesar. Apagamos y reservamos.

A continuación, engrasamos con mantequilla una bandeja para horno o bien la forramos con papel encerado y extendemos la masa de hojaldre con cuidado. Recortamos lo que sobre. Cubrimos con la crema pastelera.

Pelamos las manzanas, las descorazonamos y las partimos en gajos o láminas. Colocamos los trozos de manzana sobre toda la superficie de la crema pastelera y los pintamos con un poco de mantequilla derretida procurando que no haya más en una zona que en otra. Metemos al horno y dejamos hornear durante 20 minutos aproximadamente. Terminaremos con unos minutos de grill para que se dore la superficie de manzana y el hojaldre y lograr así un aspecto muy apetecible.

✓ SABÍAS QUE...

Las manzanas initial se recolectan a partir de finales de verano, y para saber si están en el momento óptimo de su consumo, debemos sostener una manzana de su rama y si al girarla se desprende fácilmente, es que está en su punto; si no es así, debe madurar unos días más.

Las mermeladas son una forma de conservar la fruta de temporada durante todo el año. Aunque durante el procesado se alteran la mayoría de sus propiedades nutritivas, sí se conservan los aromas y se potencian los sabores.

Mermelada con azúcar moreno y frambuesas

PARA 1 BOTE
TIEMPO: 60 MINUTOS (MÁS 24 HORAS DE MACERACIÓN)
DIFICULTAD: BAJA

- 1 kg de frambuesas
- 800 g de azúcar de caña
- Un limón

ELABORACIÓN. Lavamos las frambuesas ligeramente bajo el grifo para evitar que se rompan y pierdan su jugo y las escurrimos bien. Ponemos en una fuente capas intercaladas de frambuesas medio machacadas y de azúcar moreno y regamos con el zumo del limón. Tapamos la fuente y dejamos que macere en el frigorífico un día para que el azúcar se vaya disolviendo.

Cocemos la fruta, removiendo regularmente, durante 45 minutos aproximadamente o hasta que alcance la temperatura de 104-105 °C, que es cuando empezará a espesar. Para ver el grado de espesor, tomamos mermelada en una cuchara de madera y la dejamos enfriar. Si al pasar el dedo por en medio la mermelada no se desliza, ya estará lista, y si no es así, habrá que cocerla más.

✓ ENVASADO Y CONSERVACIÓN
Vertemos en envases de cristal esterilizados (con tapa que no sea metálica o esté esmaltada y cierre bien), llenamos hasta arriba y cerramos. Los ponemos en una cazuela con agua y calentamos al baño María unos 30 minutos. Así se hace el vacío y puede aguantar hasta un año. Dejamos enfriar y conservamos en un sitio fresco, seco y oscuro con la fecha de envasado.

✓ CONSEJO
Para hacer mermeladas es mejor utilizar la fruta lo más fresca posible y en lo que se refiere a frutos silvestres, como las frambuesas, se hará el mismo día de la recolección, pues ya están en su punto idóneo de maduración.

La fruta es el ingrediente estrella en el mundo de la repostería. Su gran variedad de texturas y sabores hacen infinitas la variaciones de platos. Y para disfrutarlos a tope lo mejor es recurrir siempre a la fruta de temporada.

Pastel de manzanas de temporada con biscuit helado y salsa de caramelo

PARA 4 PERSONAS
TIEMPO: 10 MINUTOS
DIFICULTAD: BAJA

- 2 láminas de hojaldre
- 2 manzanas reineta
- 25 g de azúcar moreno
- 25 g de azúcar blanco
- ½ limón
- Azúcar glas
- 10 g de pistachos

PARA EL CARAMELO
- 200 g de azúcar
- Un vaso de agua

PARA EL BISCUIT
- 4 huevos
- 100 g de azúcar
- ¼ l de nata para montar

ELABORACIÓN. Pelamos las manzanas y las descorazonamos, las cortamos en láminas y las ponemos a calentar a fuego lento en un cazo con el azúcar y el jugo del limón. Tapamos y movemos hasta que la manzana pueda aplastarse con la cuchara de madera. Extendemos las láminas de hojaldre sobre una bandeja forrada de papel vegetal. Ponemos una sobre la otra y la cortamos en porciones cuadradas. Luego efectuamos un agujero en la capa de arriba, quitamos el círculo de masa y colocamos un par de cucharadas de compota. Horneamos unos 15 minutos en horno precalentado a 220 ºC.

Mientras tanto, calentamos el azúcar a fuego lento y a la vez hervimos el agua en otro cazo. Cuando el azúcar tenga un tono dorado vamos añadiendo hasta 10 cucharadas de agua mientras removemos. Cuando el hojaldre esté dorado sacamos los pasteles y servimos. Decoramos con azúcar glas, un poco de biscuit, unos pistachos picados y la salsa de caramelo.

✓ PARA EL BISCUIT HELADO
Separamos las claras de las yemas. En un bol, mezclamos las yemas con el azúcar. Montamos las claras a punto de nieve y las incorporamos suavemente a las yemas. Montamos también la nata, mezclamos todo con cuidado y congelamos.

Lácteos, cereales y frutas son los ingredientes de este sanísimo desayuno todo en uno. El calcio del yogur fortalecerá nuestros huesos, los cereales nos darán energía y los antioxidantes de los frutos rojos alejarán las enfermedades cardiovasculares.

Crema de yogur a la menta fresca con frutos rojos, muesli y pistachos

PARA 4 PERSONAS
TIEMPO: 35 MINUTOS
DIFICULTAD: BAJA

- 200 ml de nata para montar
- 100 g de azúcar
- 200 g de yogur griego
- Hojas de menta fresca
- 200 g de frutos rojos (cerezas, frambuesas y arándanos rojos)
- 80 g de muesli
- 10 g de pistachos

ELABORACIÓN. Montamos la nata con el azúcar, añadimos los yogures y lo mezclamos todo bien. Agregamos varias hojas de menta volvemos a mezclar y dejamos que macere en el frigorífico unos 30 minutos. Mientras se enfría, deshuesamos las cerezas y las reservamos. Luego sacamos la crema y removemos. Repartimos la crema en cuencos y agregamos una cucharada colmada de muesli, un puñado de frutos rojos y un pellizco de pistachos triturados.

✓ TRUCO

Para que se integre mucho mejor con el yogur podemos hacer una salsa con los frutos rojos. Para ello colocamos las cerezas (deshuesadas), las frambuesas (fresas si es época) y los arándanos en una batidora. Añadimos un poco de agua y dos cucharaditas de azúcar. Batimos y agregamos más agua si la necesitamos, hasta que quede una salsa densa. Si la queremos más fina no tenemos más que colarla y servirla con la crema de yogur.

✓ FRUTOS ROJOS

Los frutos rojos, también conocidos como frutos del bosque, no suelen cultivarse, ya que crecen silvestres en bosques y campos. No tenemos más que recolectarlos en su temporada que, por lo general, abarca del verano, como ocurre con fresas, arándanos, frambuesas y cerezas, al otoño, como las moras, endrinas y grosellas.

Tarta de manzanas rojas, canela y crema de leche

La canela es una de las especias que mejor se lleva con la fruta y la repostería, sobre todo con las manzanas. Además de su aromático sabor favorece una buena digestión y tiene efectos relajantes. Y es que probar este bizcocho es desestresante.

PARA 4 PERSONAS
TIEMPO: 1 HORA
DIFICULTAD: BAJA

- 125 g de harina integral
- ½ sobre de levadura • Sal
- Una cucharada de canela en polvo • 2 huevos • 110 g de azúcar moreno • Un yogur natural
- 75 ml de aceite de oliva • Una manzana • ½ limón • 100 ml de crema de leche • Hojas de menta

ELABORACIÓN. Primero tamizamos la harina, añadimos la levadura, un pellizco de sal y una cucharadita de canela, y mezclamos. En un bol grande batimos los huevos con el azúcar hasta que aumente el volumen, añadimos el yogur, el aceite y seguimos batiendo. Agregamos al bol la harina tamizada con la levadura y lo batimos bien hasta que no queden grumos. Dejamos reposar unos minutos y ponemos a precalentar el horno a 180 °C.

Mientras tanto, pelamos la manzana, la descorazonamos y cortamos en láminas que partimos por la mitad. Las rociamos con un poco de limón. Engrasamos un molde para el bizcocho con aceite y lo forramos con un papel de horno. Espolvoreamos con un poco de harina y vertemos un tercio de la masa. A continuación, extendemos la manzana y cubrimos con el resto de la masa. Espolvoreamos la superficie con una mezcla de una cucharada de azúcar moreno con media de canela y horneamos durante 40 minutos. Unos cinco minutos antes comprobamos, pinchando con una aguja metálica, si el bizcocho está cocido. Si sale seca ya está listo. Dejamos enfriar, desmoldamos y servimos con un poco de crema de leche por encima y adornada con unas hojitas de menta.

✓ CONSERVAR LA MANZANA

Cuando pelamos una manzana su pulpa se oxida y se oscurece si queda expuesta al aire. Para evitarlo o bien frotamos la manzana pelada con limón o, si está troceada, ponemos los trozos a remojo en una mezcla de agua con zumo de limón.

Términos usuales

para que la masa o lo que se cocine dentro de él no se pegue.

ESCALDAR: introducir un alimento en agua hirviendo solo unos segundos para ablandarlo o pelarlo mejor.

ESPOLVOREAR: esparcir sobre cualquier alimento un ingrediente que esté en forma de polvo, pequeños granos, virutas, etc.

FREÍR: mantener un alimento en aceite hirviendo hasta que se cocine.

FUNDIR: derretir alimentos sólidos con la acción del calor.

HERVIR: cocinar un alimento introduciéndolo en agua que se calienta hasta la ebullición, produciendo burbujas por el calor.

JULIANA: tipo de corte, sobre todo para las verduras, en el que el alimento se trocea en tiras largas y finas.

MACERAR: sumergir un alimento en un líquido como vinagre, aceite, zumo, etc. para que se ablande y adquiera su sabor.

MANZANA INITIAL: tipo de manzana de color rojo y sabor dulce, que presenta una peculiar textura crujiente.

MONTAR: batir la nata enérgicamente hasta que se espese. Se suele hacer utilizando varillas o batidora eléctrica.

POCHAR: freír a fuego lento un alimento en un cazo o sartén hasta que adquiera una consistencia blanda.

SALPIMENTAR: añadir sal y pimienta a un alimento para darle más sabor.

TRITURAR: moler o desmenuzar un alimento sin que llegue a pulverizarse.

VINAGRETA: salsa de aceite y vinagre que acompaña a ensaladas, carnes o pescados.

A FUEGO LENTO: cocción lenta y gradual que se realiza con muy poca llama.

ALIÑAR: aderezar, condimentar o sazonar alimentos, sobre todo crudos, con sal, aceite, vinagre, especias, etc.

BATIR: mezclar enérgicamente, con movimientos circulares y ascendentes, los ingredientes que van a componer una crema.

COCER: cocinar un alimento sumergiéndolo en un líquido en ebullición hasta que esté tierno.

ENGRASAR: untar con un producto graso (mantequilla, aceite, etc.) una fuente o molde

Americanismos

ACEITE: óleo.

ACEITUNA: oliva.

AJO: chalote.

ALBAHACA: alábega, basilico, hierba vaquero, alfavaca.

ALBARICOQUE: damasco, albarcorque, chabacano.

ALCAPARRA: pápara.

ALMÍBAR: jarabe de azúcar, agua dulce, sirope, miel de abeja.

ALUBIAS/JUDÍAS: frijoles, carotas, porotos.

ANCHOA: anchoveta.

ARROZ: casulla, macho, palay.

ATÚN: abácora, albácora, bonito.

AZÚCAR GLAS: azúcar glacé.

CALABACÍN: calabacita, zambo, zapallito, hoco, zapallo italiano.

CALABAZA: acocote, anco, zapallo, bulé, chaucha.

CEREZA: capulín, capulí, guinda.

CHALOTA: escaloña, ascalonia, escalonia, echadote.

CHAMPIÑÓN: seta, hongo.

COL: repollo, tallo, berza, bretón.

COLIFLOR: brócoli, brécol.

ESCAROLA: lechuga crespa.

FRAMBUESA: mora.

FRESA: frutilla.

GAMBA: camarón, langostino.

GARBANZO: mulato, chicharro.

GUINDILLA: uchú, chile.

HUEVO: blanquillo.

JUDÍAS: frijoles, carotas.

LIMÓN: acitrón, bizuaga.

MAÍZ: cuatequil, capia, canguil.

MANTEQUILLA: manteca.

MANZANA: pero, perón.

MENTA: hierbabuena, yerbabuena.

MORA: nato, zarzamora.

MOSTAZA: jenabe.

NATA LÍQUIDA: crema de leche sin batir.

NUEZ: coca.

OREJONES: descarozados.

PAN DE MOLDE: pan inglés, pan sándwich, cuadrado, pan de caja.

PATATA: papa.

PIMIENTA: pebre.

PIMIENTO: ají, conguito, chiltipiquín, chiltona.

PUERRO: ajo-porro, porro.

REMOLACHA: betabel, beterrave, beterraca, beterraga.

SALCHICHA: chorizo, cervela, moronga.

SÉSAMO: ajonjolí.

TERNERA: jata, mamón, becerra, chota, novilla, vitela.

TOMATE: jitomate.

ZANAHORIA: azanoria.

ZUMO: jugo.

Índice de recetas